# Code Nederlands

Basisleergang Nederlands voor volwassen anderstaligen

# Code Nederlands

## Basisleergang Nederlands voor volwassen anderstaligen

| *uitgave* | *ISBN* |
|---|---|
| tekstboek 1 | 90 280 1224 9 |
| oefenboek 1 | 90 280 2488 3 |
| docentenhandleiding 1, incl. 2 cd's | 90 280 3371 8 |
| set à 2 cursistencassettes 1 | 90 280 4185 0 |
| combinatie tekstboek en cursistencassettes 1 | 90 280 5702 1 |
| tekstboek 2 | 90 280 1123 4 |
| oefenboek 2 | 90 280 2457 3 |
| docentenhandleiding 2, incl. 3 cd's | 90 280 3494 3 |
| set à 2 cursistencassettes 2 | 90 280 4324 1 |
| combinatie tekstboek en cursistencassettes 2 | 90 280 5976 8 |
| software bij Code Nederlands 1 | 90 280 1487 X |
| software bij Code Nederlands 2 | 90 280 1548 5 |
| software bij Code Nederlands 1 en 2 | 90 280 3324 6 |
| uitspraakcassette (niet herzien) | 90 280 4489 2 |

*Redactie*
Sieneke de Rooij, Amsterdam (coördinatie)
Toos de Zeeuw, Octopus Tekstproductie, Bussum (bureauredactie)

*Vormgeving*
Rosemarie van Boxel, Haarlem (ontwerp en coördinatie)
Paul Boyer, Amsterdam (opmaak)

*Beeldredactie*
Eline Overkleeft, Amsterdam

ISBN 90 280 1123 4
Tweede druk
00 99 98
9 8 7 6 5 4

# Code Nederlands

Basisleergang Nederlands
voor volwassen anderstaligen

Tekstboek 2

Alice van Kalsbeek

Marijke Huizinga

Folkert Kuiken

Revisie:
Alice van Kalsbeek

Marijke Huizinga

Janneke van der Poel

Marjolijn Wesselo

Afdeling Nederlands Tweede Taal, Vrije Universiteit Amsterdam

**Meulenhoff Educatief**

# Inhoud

| Hoofdstuk | Teksten | Kaders |
|---|---|---|

# Inhoud

| Hoofdstuk | Teksten | Kaders |
|---|---|---|
| **13** Onder water **Thema** Water en wind | 1 Het waterschap 139<br>2 Een gebouw van zand 141<br>3 Gesprek met een visser 144<br>4 Wees wijs met water 147<br>5 Visser van ma yuan 148<br>6 Ontspannen op de Wadden 149 | Iets verduidelijken 141<br>Zinnen met meer dan één hulpwerkwoord 143<br>Wat nu? 146<br>Toen, dan 146<br>Verzoek 149 |
| **14** Voor iedereen **Thema** Culturen in Nederland | 1 Wereldmuziek 151<br>2 Radionieuws 153<br>3 Multiculturele woningen 154<br>4 Buikdansen is meer dan erotisch swingen 157<br>5 Mijn vader was tapijtknoper 159 | Trouwens, overigens 152<br>De onvoltooid verleden tijd 156<br>Allemaal 158 |
| **15** Een hap schone lucht **Thema** Gezondheid en hygiëne | 1 De cultuur van ziekte en genezing 163<br>2 Berts brein op zaterdag 164<br>3 Dik Amerikaans 165<br>4 Verzuipen in shampoo? 168<br>5 Zwarte sneeuw in Pingguoyuan 170<br>6 Vaste prik in november 171<br>7 Hoe diep 173 | Verwijzen (3): wie en wat 167<br>Geruststellen 169<br>Woordvorming (2): samenstellingen 171 |
| **16** Stel nou even... **Thema** Wetenschap en automatisering | 1 Internet huwelijk tegen wil en dank 175<br>2 Kerntechnologie 177<br>3 Ruiken is gewoon ontzettend belangrijk 179<br>4 Ma Bell 181<br>5 Stel nou even 183 | Om + te + infinitief 176<br>Waarschuwen 179<br>Toekomst 181 |

# 1 Dat zeg ik liever niet

## A    📼 1   Tien vragen aan Nelli Cooman

Erwin Postma is een grote fan van Nelli Cooman,
een atlete. Erwin stelt haar tien vragen.

1   *Nelli, hoe oud ben je?*
Nou zeg, dat is wel een heel directe vraag om mee
te beginnen. Maar ik wil het wel zeggen, hoor. Ik
ben 33.
2   *En ben je getrouwd?*
Ja, ik ben getrouwd, maar ik heb geen kinderen.
3   *Kom je uit een grote familie?*
Eh, ik heb een broer en een zus.
4   *Wat zijn je hobby's?*
Eh, nou ik luister graag naar muziek en ik houd
veel van dansen.
5   *Interesseer je je voor astrologie?*
Nee, absoluut niet. Als ik op reis ben, lees ik natuurlijk wel eens de
horoscoop in een of ander blad, maar hij is bij mij nog nooit uitgekomen.
6   *Welke politicus vind jij nou sympathiek?*
Hm, moeilijke vraag is dat. Ik interesseer me eigenlijk niet zo voor
politiek, dus voor mij is het erg moeilijk om die vraag te beantwoorden.
7   *Waar heb jij een hekel aan, Nelli?*
O, vroeg opstaan vind ik vervelend, maar een hekel hebben ... nou ja,
misschien aan de mensen die voordringen: die kan ik niet uitstaan. Ik heb
natuurlijk ook wel eens haast als ik in een winkel of op het postkantoor
ben, maar ik vind dat iedereen gewoon op zijn beurt moet wachten.
8   *Nelli, wat is nou jouw beste eigenschap?*
Mijn doorzettingsvermogen.
9   *En je slechtste?*
Moet je dat ook weten? Nou em, ik moet bekennen dat ik nagels bijt!
10  *En eh, hoeveel verdien je per maand?*
Daar geef ik geen antwoord op als je het goed vindt. Ik vind namelijk dat
het je niks aangaat.

| | | | | |
|---|---|---|---|---|
| de fan | de astrologie | beantwoorden | de haast | bijten |
| de atlete | de horoscoop | een hekel hebben aan | de eigenschap | verdienen |
| mee | uitkomen | opstaan | het doorzettingsvermogen | het antwoord |
| de broer | sympathiek | voordringen | bekennen | niks |
| de zus | eerlijk | uitstaan | de nagel | aangaan |

# A    2   Tien vragen aan Willem Nijholt

Hanneke Wafelbakker heeft de tien vragen aan Willem Nijholt
gesteld. Willem Nijholt is acteur. Hanneke vindt hem heel goed.
Ze probeert naar alle toneelstukken en films te gaan waarin hij speelt.

1   *Hoe oud bent u?*
    Zestig. Je hoeft me trouwens niet met u aan te spreken,
    hoor. Zeg maar gerust Willem en je.
2   *Wat is je burgerlijke staat?*
    O, wat zeg je dat officieel. Nou, dan zal ik je ook een
    officieel antwoord geven: ik ben ongehuwd, maar ik woon
    wel samen.
3   *Komt u ... eh ... kom je uit een grote familie?*
    Ja ja, we waren vroeger met zijn tienen thuis: vader, moeder,
    drie broers en vier zussen. Ik ben op één na de jongste.
4   *En welke hobby's heb je?*
    Oei, ehm, koken vind ik leuk, ik houd van uitgaan en verder werk ik
    graag in de tuin.
5   *Interesseer je je voor astrologie?*
    Ha, dat is grappig dat je dat vraagt. De laatste tijd interesseer ik me
    daar namelijk steeds meer voor. Volgens mij speelt er zich tussen
    hemel en aarde veel meer af dan wij als mensen kunnen bevatten.
6   *Welke politicus vind je sympathiek?*
    Wim Kok, denk ik, ja, ja, ja, Wim Kok vind ik wel een aardige vent.
7   *Waar heb je een hekel aan?*
    Ah, je hebt van die mensen die altijd te luid praten. Daar kan ik absoluut
    niet tegen. Ik heb trouwens in het algemeen een hekel aan lawaai.
8   *Wat is je beste eigenschap?*
    O, mijn beste eigenschap! Ik weet het eigenlijk niet. Dat ik goed naar
    anderen kan luisteren, misschien? Ik weet het niet. Waarom wil je dat
    eigenlijk weten?
9   *En je slechtste?*
    Dat weet ik nou toevallig wel, maar dat zeg ik liever niet!
10  *Hoeveel verdien je per maand?*
    Genoeg. Genoeg om redelijk van te leven. Maar ik ga je echt niet aan
    je neus hangen hoeveel dat precies is!

| | | | | |
|---|---|---|---|---|
| de acteur | gerust | ongehuwd | de hemel | de vent |
| het toneelstuk | de burgerlijke staat | samenwonen | de aarde | luid |
| aanspreken | officieel | oei | bevatten | het lawaai |

## Geen antwoord geven

**Dat zeg ik liever niet.**
- Wat is je slechtste eigenschap?
- Dat weet ik nou toevallig wel, maar dat zeg ik liever niet!

**Daar geef ik geen antwoord op.**
- Hoeveel verdien je per maand?
- Daar geef ik geen antwoord op als je het goed vindt.

**Dat gaat je niets/niks aan.**
- Zo, wat een stuk! Is dat jouw vriend, Wendy?
- Dat gaat je niks aan!

**Dat ga ik jou niet aan je neus hangen.**
- Hoeveel verdien je per maand?
- Genoeg. Genoeg om redelijk van te leven. Maar ik ga je echt niet aan je neus hangen hoeveel dat precies is!

## Sympathie

**Ik vind hem aardig.**
- Welke politicus vind je sympathiek?
- Wim Kok denk ik, ja, Wim Kok vind ik wel een aardige vent.

**Ik mag haar wel.**
- Vind je haar nou aardig?
- Ja, ik mag haar wel.

## Antipathie

**Ik heb een hekel aan ...**
- Ik heb een hekel aan mijn opa, omdat hij altijd over politiek praat.
- Dat lijkt mij nou juist leuk, zo'n opa.

**Ik kan ... niet uitstaan.**
- Waar heb je een hekel aan, Nelli?
- Vroeg opstaan vind ik vervelend, maar een hekel hebben... nou ja, misschien aan de mensen die voordringen, die kan ik niet uitstaan.

**Ik kan niet tegen ...**
- Je hebt van die mensen die altijd te luid praten. Daar kan ik absoluut niet tegen.

**B**          **3   Kom je uit een grote familie?**

Carmen Smulders en haar buurvrouw Ayoko Onguene gaan met de
bus naar de markt. Carmen is in Spanje geboren en woont vijf jaar
met haar man in Nederland. Ayoko woont negen jaar in Nederland.
Ze komt uit Liberia. De vrouwen praten over de familie in het
5   buitenland en hun mannen en hun gezin in Nederland.

Carmen   Ayoko, hoe heb jij je man leren kennen?
Ayoko   Tien jaar geleden was er oorlog in mijn land. Ik ben toen gevlucht.
Eerst woonde ik in Frankrijk. Daar leerde ik Bob kennen. Hij deed er
onderzoek. Omdat hij Nederlander is, zijn we hier gaan wonen.
10   Carmen   Goh, en zijn jullie meteen getrouwd?
Ayoko   Nou, nou, je bent wel nieuwsgierig zeg! Nee, we hebben eerst een tijdje
samengewoond, later zijn we getrouwd. En jij? Waar heb jij Frans leren
kennen?
Carmen   In Spanje. Hij was daar op vakantie met z'n vrienden. Ik werkte in
15   een café waar ze iedere avond kwamen. Na die vakantie zijn Frans
z'n vrienden teruggegaan naar Nederland. Frans is in Spanje
gebleven. We waren inmiddels hevig verliefd op elkaar. We zijn in
Spanje getrouwd. Na ongeveer een jaar zijn we naar Nederland
gekomen, omdat Frans in Spanje geen werk kon vinden. Nou, nu
20   hebben we allebei een baan.
Ayoko   Vond je het niet moeilijk in het begin, een vreemd land, een vreemde taal?

| | |
|---|---|
| *Carmen* | Nee, dat viel mee. Ik sprak al een beetje Nederlands en ik had al snel een baan. |
| *Ayoko* | O, dat is mooi natuurlijk. |
25 *Carmen* | En jij? Was het voor jou moeilijk? |
| *Ayoko* | Mmm, nou, in het begin was het niet zo'n succes. Ik miste mijn familie. Ik was de hele dag alleen thuis. Ik zag Bob alleen 's avonds. Ik dacht dat hij spijt had van zijn huwelijk en me daarom niet meer wilde zien. Ik wilde het liefst terug naar Liberia. Gelukkig ben ik gebleven |
30 | en zowel Bob als mijn familie heeft daar veel waardering voor. |
| *Carmen* | Jeetje, en is het voor jou nu ook wat makkelijker? |
| *Ayoko* | Ja hoor, jawel. Ik heb Bob verteld dat ik niet gelukkig was, en ook waarom. En ik wilde weten of hij nog van me hield. We hebben er veel over gepraat en dat heeft wel geholpen. Bob probeert nu meer |
35 | thuis te zijn en we doen meer leuke dingen samen. |
| *Carmen* | Heb je nog veel familie in Afrika? |
| *Ayoko* | Ja, bijna al mijn familieleden wonen nog in Liberia. Ik woonde in een kleine stad met mijn ouders, opa en oma, broers en zusters en een oom en tante. Een hele grote familie. En heel gezellig ook. We |
40 | woonden allemaal in mijn opa's huis. Alleen de broer van mijn vader woonde in Frankrijk. Jammer genoeg is hij twee jaar geleden overleden. Kom jij uit een grote familie? |
| *Carmen* | Ja, ja, aardig groot. Ik heb eh, vijf broers en |
45 | twee zussen. Ze hebben bijna allemaal kinderen. Mijn jongste broer heeft pas weer een baby gekregen. Het vijftiende |
50 | kleinkind van mijn ouders. Wacht, ik heb hier ergens een foto ... |

respecteren

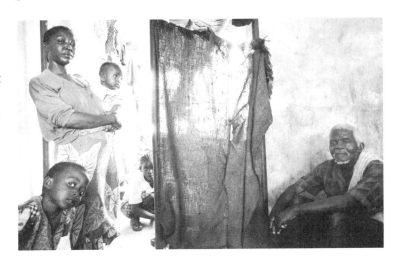

| | | | |
|---|---|---|---|
| de buurvrouw | nieuwsgierig | het huwelijk | de oom |
| geboren | teruggaan | het succes | overlijden |
| het gezin | hevig | de waardering | de baby |
| vluchten | verliefd | de zuster | het kleinkind |

## Al / Alle

**al**      Dit is al het geld dat ik nog heb.
Zijn al die jassen van jou?
Bijna al mijn familieleden wonen nog in Liberia.

**alle**    Hij heeft alle kranten meegenomen.
Heb je alle schoenen naar de hakkenbar gebracht?
Ze probeert naar alle toneelstukken en films te gaan waarin hij speelt.

*Let op:*
*alle = al de*
Heb je *alle* schoenen naar de hakkenbar gebracht?
Ze probeert naar *alle* toneelstukken en films te gaan waarin hij speelt.

## Bezitsrelaties (1)

**de / het ... van ...**   Alleen de broer van mijn vader woonde in Frankrijk.
Mijn jongste broer heeft pas weer een baby gekregen. Het vijftiende kleinkind van mijn ouders.

**... (')s**   Jacques' eerste vrouw heette Clara.
Willems beste eigenschap is dat hij goed naar anderen kan luisteren.
We woonden allemaal in mijn opa's huis.

**... z'n / d'r ...**   Na die vakantie, zijn Frans z'n vrienden teruggegaan naar Nederland.
Ayoko d'r kinderen zijn nog klein.

C      # 4   De meest voorkomende namen

Het kiezen van een naam is ingewikkeld. Aanstaande ouders zijn daar vaak negen maanden mee bezig.
Die keuze is vooral moeilijk als de ouders hun kinderen naar familie willen vernoemen. Volgens het maandblad *Kinderen*
5   wordt zo'n dertig procent van de baby's naar familie vernoemd. Soms veranderen ouders de namen. Als de oma bijvoorbeeld Johanna heet krijgt het kind de naam Anna. Van

Piet maken ze Peter en Cornelia wordt Corien. Vaak voegen
ze daar nog een naam aan toe die ze zelf hebben bedacht.

10   Sinds 1995 heeft Nederland vijftien miljoen 500.000
inwoners. Toch hebben vijf miljoen Nederlanders maar 24
verschillende voornamen. Volgens een onderzoek uit 1961
kwam in Nederland niet minder dan 660.000 maal de naam
Jan voor. Met Hans (180.000) en Johan (120.000) komen

15   we maar liefst 960.000 keer een vorm van de naam Johannes
tegen. Bij de vrouwen was in 1961 de naam Annie (240.000)
in de meerderheid. In 1994 waren heel andere namen
favoriet. Het hoogst scoren dan bijvoorbeeld in Eindhoven
bij de jongens Koen en bij de meisjes Lisa.

20   Als u uw zoon een bijzondere naam wilt geven noem hem
dan niet: Thomas, Daan, Koen, Jeroen, Tim, Bas, Luuk,
Martijn, Bram of Joost.

De top-tien van meisjesnamen zag er in 1994 als volgt uit:

**1** Lisa                    **6** Iris
25   **2** Laura               **7** Lisanne
**3** Anna                    **8** Tessa
**4** Suzanne                 **9** Julia
**5** Michelle                **10** Kim

Naar: *de Volkskrant*, 10 mei 1994 en *Eindhovens dagblad*, 1994.

---

Wij zijn zeer gelukkig met de geboorte
van onze zoon

**Justus Jan**
12 november 1996

Rianne en Bert Joosten

Akeleistraat 7
3242 VT OEGSTGEEST
Telefoon 071-5140226

Rianne en Justus verblijven tijdelijk in het
Diaconessenziekenhuis te Leiden

---

Wij zijn erg blij met onze dochter

# Fiene

Geboren op 29 juli 1996

*Désirée Bierman en Ruud Simpel*

Tweeboomlaan 111
1624 EC Hoorn
0229 - 21 08 66

---

| de keuze | vernoemen (naar) | bedenken | de inwoner | de zoon | de top-tien |
| ingewikkeld | toevoegen | sinds | de maal | als volgt | |

**C**          **5  Stamboom**

de stamboom
de neef
de nicht

**D**          **6  Van buiten mooi, van binnen ook?**

Een mooi uiterlijk is in veel situaties een voordeel. Mooie mensen hebben eerder een baan dan minder mooie en ze verdienen ook meer. Ze worden sneller geholpen in een winkel.
5   Als ze uitgaan hebben ze vaak een leukere avond dan de anderen. Mooie mensen worden aardiger gevonden, ze hebben meer vrienden en ze vinden gemakkelijker een partner. Hun kansen in het leven zijn beter dan die van
10  andere mensen. Die conclusie wordt getrokken uit recente onderzoeken.
Volgens de onderzoekers denken wij dat iemand die van buiten mooi is, dat ook van binnen wel zal zijn. Mooie mensen worden daarom aardiger
15  en interessanter gevonden. Het gaat zelfs nog verder. Want als je altijd vriendelijk benaderd wordt, dan is het niet zo moeilijk om aardig tegen anderen te zijn. Dat geeft zelfvertrouwen en dan is het leven een stuk gemakkelijker.
20  Vreselijk als je lelijk bent dus.

Gelukkig is hierover nog meer te zeggen. Om te beginnen: de meeste mensen vinden zichzelf veel lelijker dan andere mensen hen vinden. Ze zien allerlei kleine dingen die anderen niet zien.
25  Die anderen zien namelijk een totaalbeeld van iemand en letten niet zo op de details. Vind je dat je een grote neus hebt? Of rare oren? Zijn je benen te dik of juist te mager? Waarschijnlijk ziet niemand dat zo goed als jijzelf.
30  Het onderzoek laat ook nog andere conclusies zien. Bijvoorbeeld dat mensen heel vaak vrienden of partners kiezen die ongeveer net zo mooi of lelijk zijn als zijzelf.
Dit betekent dat mooie mensen dus niet meer
35  kans hebben op een goede relatie. Ze zijn alleen in het voordeel bij eerste contacten, dat wel. Maar daarna hebben ze net zoveel problemen als de anderen.

Naar: *Blikopener*, nr. 1, 1991.

| het uiterlijk | de onderzoeker | zichzelf | het totaalbeeld | zijzelf |
| de partner | benaderen | lelijk | het detail | |
| trekken | het zelfvertrouwen | totaal | mager | |
| recent | hierover | letten op | jijzelf | |

**D 7**

# Signalement: de ideale partner

**1** **Wat is zijn / haar lengte?**
**Hij / Zij is …**

a kleiner dan 1,60 meter
b tussen 1,60 meter en 1,70 meter
c tussen 1,70 meter en 1,80 meter
d tussen 1,80 meter en 1,90 meter
e langer dan 1,90 meter

**2** **Wat voor figuur heeft hij / zij? Hij / Zij is …**

a mager
b stevig
c dik

**3** **Welke kleur hebben zijn / haar ogen? Ze zijn …**

a bruin
b blauw
c grijs
d groen

**4** **Hoe ziet zijn / haar haar eruit? Het is …**

a kort
b lang
c krullend
d steil
e blond
f donker
g grijs

**5** **Hoe oud is hij / zij?**
**Hij / Zij is …**

a net zo oud als ik
b maximaal ….. jaar jonger dan ik.
c maximaal ….. jaar ouder dan ik.

**6** **Welk type spreekt u het meeste aan?**
**Hij / Zij is …**

a klassiek
b artistiek
c sportief
a intellectueel

**7** **Waar werkt hij / zij?**
**Hij / Zij werkt …**

a niet
b in een winkel
c op kantoor
d in een fabriek
e in de landbouw
f in het onderwijs
g in de kunst
h in het huishouden
i ……………

**8** **Hoe is zijn / haar karakter?**
**Hij / Zij is …**

a eerlijk
b hartelijk
c lief
d trouw
e vrolijk
f fel
g trots

**9** **Welke hobby's heeft hij / zij?**
**Hij / Zij houdt van …**

a sport
b kunst
c uitgaan
d reizen
e muziek
f koken
g lezen
h tv kijken
i ……………

**10** **Wat doet u op een vrije avond het liefst met hem / haar?**

a thuisblijven
b op bezoek gaan bij iemand
c eten in een restaurant
d dansen
e naar een café gaan
f naar een concert gaan
g naar de bioscoop gaan
h ……………

| | | | |
|---|---|---|---|
| het signalement | donker | de fabriek | vrolijk |
| ideaal | maximaal | de landbouw | fel |
| de lengte | het type | het huishouden | trots |
| het figuur | klassiek | het karakter | de sport |
| krullen | artistiek | hartelijk | op bezoek gaan |
| steil | sportief | lief | |
| blond | intellectueel | trouw | |

**SIGMUND**  Peter de Wit                                           Bron: *de Volkskrant*, 1995

## *Het persoonlijk voornaamwoord: het, hij en ze (zaken)*

*het-woorden:* **het**

– Hoe vond je hun nieuwe huis?
– Nou, ik vond het niet geweldig.

– Hoe ziet zijn haar eruit?
– Het is donker.

*de-woorden (enkelvoud):* **hij**

– Is de post er al?
– Ja, hij ligt al een uur op tafel.

– Lees jij de horoscoop ook altijd?
– Ja, ik lees wel eens een horoscoop, maar hij is bij mij nog nooit uitgekomen.

*de-woorden (meervoud):* **ze**

– Welke kleur hebben haar ogen?
– Ze zijn bruin.

– Waar heb je die appels toch gelaten?
– Ze liggen gewoon in de koelkast.

# E    8  Horoscoop

## Ram   *(20-21 maart tot 19-21 april)*

Het wordt een wat tam begin voor de komende periode voor de meeste Rammen. U bent gelukkig in het nemen van besluiten wat betreft zakelijke aankopen.

## Stier   *(19-21 april tot 20-22 mei)*

De Stieren kunnen waardering verwachten van mensen die zeggen wat ze werkelijk menen. In de omgang met jonge mensen krijgen sommigen een moeilijke beslissing te nemen.

## Tweelingen   *(20-22 mei tot 21-22 juni)*

Er komt een financiële tegenvaller voor een aantal Tweelingen aan het einde van de periode. De Tweelingen kunnen het de komende dagen goed vinden met de Steenbokken en Stieren.

## Kreeft   *(21-22 juni tot 22-23 juli)*

Het wordt een week van hard werken voor de meeste Kreeften. Toch zal het aan gezelligheid zeker niet ontbreken. Er wacht sommigen een aardige surprise.

## Leeuw   *(22-23 juli tot 22-24 augustus)*

Voor de eerste dagen van de week valt er nog heel wat af te handelen. U dient er wel voor te waken niet te veel hooi op uw vork te nemen.

## Maagd   *(22-24 augustus tot 22-24 september)*

De kansen op positieverbetering zijn deze week aanwezig voor een aantal van u. Sommigen van u krijgen een gesprek te voeren met iemand die niet voor rede vatbaar is.

## Weegschaal   *(22-24 september tot 23-24 oktober)*

De Weegschalen doen er goed aan voldoende rust te nemen en voor de nodige ontspanning te zorgen. U krijgt een leuke uitnodiging.

## Schorpioen   *(23-24 oktober tot 22-23 november)*

De Schorpioenen zullen een uiterst sober beleid moeten voeren aan het einde van de periode. De kansen op verandering van baan zijn minimaal.

## Boogschutter   *(22-23 november tot 21-22 december)*

Een aantal Boogschutters krijgt verrassend bezoek. De meesten van u gaan een bijzonder gezellige week tegemoet, waarin diverse bezoeken afgelegd moeten worden.

## Steenbok   *(21-22 december tot 20-21 januari)*

Het zal niet gemakkelijk worden om de komende dagen nieuwe relaties te winnen. De meesten zijn gelukkig in het spel, maar zullen wel voorzichtiger moeten zijn met het doen van toezeggingen.

## Waterman   *(20-21 januari tot 18-19 februari)*

Het wordt voor de Watermannen een week waarin zij het wat rustiger aan kunnen doen. Veel steun van een familielid.

## Vissen   *(18-19 februari tot 20-21 maart)*

De Vissen dienen zich wat meer te richten naar de aanwijzingen van een paar goede bekenden. In de liefde staan de kansen voor hen die in maart geboren zijn zeer goed.

Uit: *Goois Weekblad*, 1995.

# 2 Hoe oud zijn ze?

**A**        **1**

de oudere
de kunstgeschiedenis
de filosofie
de theologie
de letteren
de psychologie
de sociologie
de archeologie
de natuurwetenschappen
zich ontwikkelen
bewijzen
de onderwijsvoorlichting

**A**         **2**   ## Nooit te oud om te leren

Jannie Klein is bijna zestig. Ze heeft zich ingeschreven voor een cursus geschiedenis bij HOVO, een afdeling aan de universiteit die hoger onderwijs voor ouderen organiseert. Op de eerste bijeenkomst komt ze daar een oude bekende tegen, Ans de Boer. Ze zaten vroeger op dezelfde school.

5 *Ans de Boer*  Hé Jannie!

 *Jannie Klein*  Ha Ans, dat is lang geleden!

 *Ans de Boer*  Ja, dat kun je wel zeggen. Ruim veertig jaar, denk ik?

 *Jannie Klein*  Ja, zoiets. Ik herkende je bijna niet. Dat we elkaar hier nou tegenkomen. Wat ik hier doe? Ik vermoed hetzelfde als jij. Ik ga hier geschiedenis studeren. En jij?

10 *Ans de Boer*  Ach, ik had genoeg van dat dorp van mij. Ik wilde er nou eindelijk wel eens uit. In de loop van de tijd krijg je er wel genoeg van, zo'n klein wereldje. Je draait steeds in hetzelfde kringetje rond. Het is best gezellig hoor. Nou ja, daar weet je alles van. Tenslotte ben jij er ook geboren en getogen. Maar jij bent niet zo lang blijven hangen. Hoe oud was je toen je weg ging ook al
15     weer, een jaar of achttien?

 *Jannie Klein*  Ja, achttien jaar. Toen ging ik in m'n eentje naar Amsterdam. Ik heb daar een paar jaar gestudeerd en wat gereisd. Maar ja, je weet hoe dat gaat; toen kreeg ik een man en kinderen, gezin voor, gezin na. En nu loop ik tegen de zestig en nu wil ik wel eens iets voor mezelf.

20 *Ans de Boer*  Hoeveel kinderen heb je?

|  | |
|---|---|
| *Jannie Klein* | Drie jongens en een meisje. |
| *Ans de Boer* | En hoe oud zijn ze? |
| *Jannie Klein* | De jongens zijn 33, 30 en 28 en m'n dochter is 24. Maar zelfs nu, nu ze het huis uit zijn, ben ik nog veel met ze bezig. Soms zorg ik voor de |
| 25 | kleinkinderen, ik strijk eens wat kleren voor ze. Maar ik geniet er ook van, hoor. Heb jij kinderen en kleinkinderen? |
| *Ans de Boer* | Ja, kinderen wel, twee. Geen kleinkinderen, nog niet. Maar ja, mijn kinderen zijn al wat ouder, midden dertig en bijna veertig. Dus ik moet er maar rekening mee houden dat ze misschien geen kinderen krijgen. Jammer hoor. |
| 30 | Maar zo'n keus moet je respecteren hè? |
| *Jannie Klein* | Hé, het is al tien uur geweest, we moeten snel naar binnen. In de pauze praten we wel verder, goed? |

| | | | | |
|---|---|---|---|---|
| ruim | het dorp | best gezellig | zelfs | respecteren |
| herkennen | eindelijk | geboren en getogen | strijken | de pauze |
| vermoeden | in de loop van | in je eentje | genieten (van) | |
| genoeg hebben van | de kring | de dochter | rekening houden met | |

## *Vragen naar leeftijd*

*personen/zaken*

**Hoe oud ben je?**
- Hoe oud zijn ze?
- De jongens zijn 33, 30 en 28 en m'n dochter is 24.

- Hoe oud is dat gebouw?
- Zevenhonderd jaar, denk ik.

*zaken*

**Van wanneer is ...?**
- Van wanneer is dat gebouw precies?
- Van 1826.

- Van wanneer is die krant?
- O, dat is een oude krant van vorige week.

**B**   **3   Nederland vergrijst**

De 'zeer sterken' in Nederland blijven in aantal toenemen. Als
we de gemiddelde leeftijd van mannen en vrouwen vergelijken,
zien we dat die is gestegen. Mannen worden gemiddeld 74,6 jaar
oud, vrouwen 80,3. En steeds meer mensen bereiken een leeftijd
5  van meer dan tachtig jaar. Er komen dus in verhouding tot
vroeger meer oude mensen.

Voor de mensen die nu vijftig jaar zijn, geldt dat mensen die getrouwd
zijn langer zullen leven dan gescheiden mensen. Waarom dat zo is, is
niet duidelijk. Wel is bekend dat onder gescheiden mensen vijf keer
10  zoveel gevallen van zelfdoding voorkomen als onder gehuwden.
Het aantal geboorten is gelijk gebleven. Vorig jaar werden er evenveel
baby's geboren als het jaar daarvoor. Het aantal kinderen van ouders
die niet getrouwd zijn gaat echter omhoog. Tot het midden van de
jaren zeventig werd één op de vijftig kinderen buiten het huwelijk
15  geboren. Nu zijn de ouders van één op de zeven kinderen ongehuwd.
Dat komt vooral doordat veel jonge mensen wel gaan samenwonen,
maar niet trouwen. In totaal is nog maar zestig procent van de
volwassenen getrouwd.                          (gegevens *CBS*, 1995)

| vergrijzen | toenemen | bereiken | de gehuwde | doordat |
| de bejaarde | gemiddeld | de verhouding | evenveel | in totaal |
| zeer (bw) | vergelijken | gescheiden | echter | de volwassene |
| sterk | stijgen | de zelfdoding | omhoog | |

## *Vergelijking (1): overeenkomst*

**hetzelfde/dezelfde**    Wat ik hier doe? Ik denk hetzelfde als jij.
Jannie en Ans zaten vroeger op dezelfde school.

**gelijk (aan)**    Het aantal geboorten is gelijk gebleven (aan dat van vorig jaar).
Het percentage geslaagden voor die toets is gelijk aan dat van de vorige keer.

**even … (als)**    Vorig jaar werden er evenveel baby's geboren als het jaar daarvoor.
Jannie en haar man zijn even oud.

**net zo … als**    Ans vindt de studie geschiedenis net zo interessant als Jannie.
In onze groep zitten net zo veel cursisten als in die andere.

## *Vergelijking (2): verschil*

**niet gelijk (aan)**    Het aantal kinderen van ouders die samenwonen, is niet gelijk gebleven.
De gemiddelde leeftijd van de man is niet gelijk aan die van de vrouw.

**niet zo … (als)**    Maar jij bent niet zo lang blijven hangen.
Er zijn niet zo veel volwassenen getrouwd als vroeger.

**meer dan, enzovoort**    Steeds meer mensen bereiken een leeftijd van meer dan tachtig jaar.
Mensen die getrouwd zijn zullen langer leven dan gescheiden mensen.

**… keer zo … (als)**    Onder gescheiden mensen komen vijf keer zoveel gevallen van zelfdoding voor als onder gehuwden.
Het aantal kinderen van ouders die niet getrouwd zijn is zeker zeven keer zo groot geworden.

## *Verhoudingen*

**… procent**    In totaal is nog maar zestig procent van de volwassenen getrouwd.

**één op de …**    Nu zijn de ouders van één op de zeven kinderen ongehuwd.

**in verhouding tot**    Er komen dus in verhouding tot vroeger meer oude mensen.

**gemiddeld**    Mannen worden gemiddeld 74,6 jaar oud.

# C  ⬚ 4  De jongste Greenpeace-activist

Evert Rutgers (16) is actief binnen Greenpeace, een organisatie die actie voert voor
een goed milieu. Hij zit op school in Bergen op Zoom en in zijn vrije tijd verkoopt
hij buttons en stickers en dergelijke van Greenpeace. En een heel enkele keer mag hij
mee op een Greenpeace-schip. Hij vertelt ons iets over zijn activiteiten bij Greenpeace.

| | |
|---|---|
| 5 *interviewer* | Evert, hoe ben je bij Greenpeace gekomen? |
| *Evert Rutgers* | Nou eh, het milieu, de natuur en vooral dieren hebben mij altijd geïnteresseerd. Drie jaar geleden, toen ik dertien was, zag ik een advertentie staan waarin nieuwe mensen werden gevraagd voor de kerngroep van Greenpeace in Bergen op Zoom. Een kerngroep bestaat uit enkele actieve mensen die vooral op markten staan en Greenpeace-spullen verkopen. |
| 10 | Ik heb gereageerd op die advertentie. Greenpeace had er helemaal geen rekening mee gehouden dat er ook jongeren zouden reageren. Hoewel ik te jong was, heb ik toch een kans gekregen en zodoende zit ik nu met vier andere mensen in de kerngroep waarvan de meesten een stuk ouder zijn dan ik: eind twintig of in de dertig zelfs. |
| *interviewer* | Vind je dat niet vervelend? |
| 15 *Evert Rutgers* | Nee, ik vind het interessant om met mensen om te gaan die wat ouder zijn. Met hen heb ik gesprekken die ik met vrienden van mijn leeftijd niet heb. |
| *interviewer* | Wat doet nou zo'n kerngroep? |
| *Evert Rutgers* | O, een heleboel. We gaan overal naartoe om spullen te verkopen: sjaals, buttons, stickers en boekjes. En als we dan met onze stand op de markt staan, proberen we de mensen te interesseren voor Greenpeace. We vragen ze ook of ze lid willen worden. En mensen die |
| 20 | belangstelling hebben, die komen bij onze stand kijken. Maar als niemand uit zichzelf naar ons toe komt, dan gaan we voor de stand staan en delen we krantjes uit of spreken iemand aan. Dat werk doe ik zelf ook. En je krijgt leuke reacties, maar ook flauwe smoesjes als 'Nee, ik heb al geld gegeven, ik ben al lid' of: 'Ik moet doorlopen, want ik |

25   moet de bus nog halen.' Ja, ik weet dat het smoesjes zijn, want mensen die echt al lid
zijn, die reageren niet zo. Die tonen toch nog belangstelling. Je merkt meteen of iemand
geïnteresseerd is. Er worden dan vragen gesteld, of mensen vertellen wat ze zelf van het
onderwerp vinden. Dat is ook hartstikke leuk. Je hebt ook mensen die alleen spullen
kopen om ze te verzamelen, die sparen bijvoorbeeld buttons. Maar soms koopt niemand
30   iets, wat je ook probeert. Ja, dat is dan minder leuk. Dan sta je de hele middag voor niks.

Naar: *Keesings Onderwijsbladen*, december 1988.

| | | | | |
|---|---|---|---|---|
| actief | de natuur | hoewel | de smoes | verzamelen |
| de button | het dier | zodoende | doorlopen | sparen |
| en dergelijke | de kerngroep | waarvan | tonen | niks |
| het schip | het spul | de stand (Eng) | merken | |
| de activiteit | reageren | flauw | het onderwerp | |

## Verwijzen (1): die en dat

**1 Het-woorden: dat**      Het schip *dat* daar ligt is van Greenpeace.
Stickers verkopen is het werk *dat* ik meestal doe.

**2 De-woorden: die**      *enkelvoud*
Greenpeace, een organisatie *die* actie voert voor een goed milieu.
HOVO, een afdeling aan de universiteit *die* hoger onderwijs voor ouderen
organiseert.

*meervoud*
Mensen *die* belangstelling hebben, die komen bij onze stand kijken.
Met hen heb ik gesprekken *die* ik met vrienden van mijn leeftijd niet heb.

## Verwijzen (2): waar + voorzetsel en voorzetsel + wie

**Bij dingen:**
**waar + voorzetsel**
Drie jaar geleden zag ik een advertentie
staan *waarin* mensen werden gevraagd voor
de kerngroep in Bergen op Zoom.
Een van de leden van de kerngroep deelt
krantjes uit *waar* je *in* kunt lezen wat
Greenpeace doet.

**Bij personen:**
**waar + voorzetsel of voorzetsel + wie**
Nu zit ik met vier andere mensen in de
kerngroep, *waarvan* de meesten een stuk
ouder zijn dan ik.
Gerard, Els, Daan en Ditta, *met wie* ik in de
kerngroep zit, zijn al jaren actief binnen
Greenpeace.

**D**          **5  Je bent jong, en je wilt wat**

**Er is één camping in Nederland die uitsluitend jongeren toelaat. De Appelhof op Terschelling: je bent jong en je wilt wat. Maar wat? In de zon wachten tot de kroegen weer open gaan. Seks, drank en niks doen als besteding van je vrije tijd.**

5  Lopend over het terrein van de camping valt me op hoe rustig het er eigenlijk is. Alleen een enkele radio staat hard aan. Het nette terrein staat vol tentjes van allerlei kleuren en de
10  was hangt vrolijk in de wind te waaien. Ik maak een praatje met een groepje jongens dat moe voor hun tent hangt. Kratje bier naast zich en een *Panorama* in de hand. De tent
15  hebben ze gehuurd. Eigenlijk hadden ze nu het liefst in Spanje aan

het strand gelegen, net als vorige zomers. Aan de Spaanse kust is het echt te gek. Raymond (20) kon
20  echter dit jaar de reis niet betalen. Dat spijt Fred (23) en Arjen (24), maar, zeggen ze: 'Je bent vrienden of je bent het niet.' Eigenlijk is hier op de camping niks te doen, vinden

25  ze. Waarom zouden ze hier elke dag zitten te zuipen, als ze het hele jaar ook al zoveel kunnen drinken als ze willen? En wat de liefde betreft, als je alleen maar komt voor het
30  versieren, dan werkt het niet.

**Beroemd en berucht**
Dertig jaar al is de camping beroemd en berucht. Het was de eerste camping waar jongens én
35  meisjes samen hun vakantie mochten doorbrengen. Men zegt dat er ook drugs verkocht worden. Van Dieren is nog steeds de baas van de camping. Hij is best trots op zijn
40  camping. 'Goed, er mag hier misschien wat meer dan op andere plaatsen, en er gebeurt dus wel eens wat. Maar dat het hier een zootje is,

dat is onzin.' Volgens hem ontstaat
45  dat idee door de journalisten. Die delen eerst drugs uit en maken dan foto's.
Van Dieren heeft alle soorten jongeren op zijn camping gezien.
50  Hij vertelt dat ze tegenwoordig nettere kleren aan hebben dan vroeger. Maar rekening houden met andere mensen, dat is er nog altijd niet bij. De meesten zijn voor het
55  eerst zelfstandig op vakantie en slechts een enkele jongere blijft langer dan een week. Dan is het geld op en vervelen ze zich dood.

**Welterusten**
60  Rond twee uur 's nachts stopt de ene na de andere taxi voor de Appelhof. De jongeren komen terug uit de kroeg. Sommigen stappen zingend de taxi uit. Ze hangen wat
65  voor hun tent, drinken pils en lopen heen en weer naar de gemeenschappelijke wc. Het wordt vier, vijf uur. 'Zijn jullie nog wakker?' vraagt een jongen. Een
70  tent gaat open. 'Ik zie het al,' zegt de jongen, 'jullie hebben plaats genoeg.' Eventjes is het stil. 'Je hebt toch zelf een tent?' vraagt een meisje. 'Ja, ik heb een tent.
75  Helemaal voor mij alleen. Of voor ons drieën natuurlijk,' zegt de jongen. Geen reactie. 'Ik merk het al, jullie zijn moe. Welterusten.'

Naar: NRC-*Handelsblad*, 26 augustus 1995

| | | | | |
|---|---|---|---|---|
| de camping | de tent | te gek | de baas | zingen |
| uitsluitend | de was | zuipen | het zootje | gemeenschappelijk |
| toelaten | waaien | wat betreft | onzin | wakker |
| de zon | moe | versieren | ontstaan | eventjes |
| de kroeg | huren | berucht | uitdelen | welterusten |
| de drank | het strand | samen | zich vervelen | |
| het terrein | de kust | de drugs | uitstappen | |

## Contrast

**maar**

Tenslotte ben jij er ook geboren en getogen. Maar jij bent er niet zo lang blijven hangen.
Dat spijt Fred en Arjen, maar, zeggen ze: 'Je bent vrienden of je bent het niet.'

**echter**

Eigenlijk hadden ze nu het liefst in Spanje aan het strand gelegen, net als vorige zomers. Raymond kon echter dit jaar de reis niet betalen.
Vorig jaar werden er evenveel baby's geboren als het jaar daarvoor. Het aantal kinderen van ouders die niet getrouwd zijn gaat echter omhoog.

**(maar) toch**

Ik weet dat het smoesjes zijn, want mensen die echt al lid zijn reageren niet zo. Die tonen toch belangstelling.
Hij weet dat roken ongezond is, maar toch blijft hij het doen.

**hoewel**

Hoewel ik te jong was, heb ik toch een kans gekregen.
Ze gaan elk jaar naar dezelfde camping, hoewel het er altijd te druk is.

**terwijl**

Veel mensen denken dat het hier een zootje is, terwijl er toch nooit iets ergs gebeurt.
De jongeren vervelen zich dood op de camping, terwijl er genoeg te doen is.

*Let op:*
### Na *maar* (voegwoord) volgt een hoofdzin
Jan gaat in de vakantie het liefst naar een camping, maar zijn vrouw houdt meer van een hotel.

### Na *hoewel* en *terwijl* (voegwoorden) volgt een bijzin
Hoewel ik hem lang niet gezien had, herkende ik hem meteen.
De jongeren van nu gaan elke zomer lang op vakantie, terwijl de oudere generatie altijd hard moest werken.

### *Echter* en *toch* zijn bijwoorden
Mijn ouders vinden het vreselijk dat mijn broer met een andere jongen samenwoont. Voor mij is dat echter geen probleem.
Evert is nog erg jong. Toch zit hij in de kerngroep van Greenpeace.

**E**          **6   Kijk maar …**

# Een baby heeft honderd gezichten op één dag!

### Ik voel me prettig
Het hele babylijfje is
ontspannen. Het neusje
krult een beetje op en
5  soms komt er al een
lachje om het mondje.
De baby is tevreden.

25  ### Wat is dat nou?
De eerste sneeuw,
een hondje of een
ballon: er is zoveel
om je over te
30  verbazen als baby.
De baby trekt een
o-mondje, trekt de
wenkbrauwtjes op
en krijgt grote,
35  ronde ogen.

### Ik vind dit maar niks
Protest! Ogen zijn
10  samengeknepen,
vuistjes gebald,
de armen
zwaaien en het
15  hele lijfje is
gespannen.
En ... huilen
natuurlijk.

### Ik ben boos!
Met een wijd
open mond,
droge ogen en
40  een heel boze
blik... De baby
is echt boos!

### Dit is interessant
20  Mama, papa of een
rammelaar komt in
beeld. Dat moet eens
wat beter bekeken
worden!

### Wat een schrik!
45  De oogjes worden
groot van schrik,
de mond is
gespannen en het
voorhoofd
50  gerimpeld!

Naar: *Ouders van Nu*, september 1991.

**E**    **7 Opa is nieuwsgierig**

Je weet het,
als mensen oud zijn,
dan worden ze niet meer groot.
En als ze dan nog ouder zijn
5  dan gaan ze tenslotte dood.

Maar als je je opa gaat vragen
wanneer hij nou eens dood zal gaan,
dan zal je opa zeggen:
'dat gaat je geen donder aan'.

10  Dat komt zo:
als mensen oud zijn,
dan willen ze nog niet weg,
omdat ze zo nieuwsgierig zijn:
wat komt er van jou terecht?

15  Want opa's zijn altijd nieuwsgierig
naar wat voor soort mens je wordt.
Hij kan het nog niet precies raden,
want daarvoor leef jij nog te kort.

*Karel Eykman*

Uit: *De liedjes van Ome Willem*, De Harmonie, Amsterdam 1977.

# 3 Ga rustig door

## A   📼 1   Zhi Hong Huang maakt kogelstoten minder saai

Ze woont met zestien andere studenten in een huis in Tilburg en is vaste klant bij McDonald's in het centrum: Zhi Hong Huang, de nummer twee van het kogelstoten bij het WK in Göteborg. Als ik haar vraag of ze Nederlands spreekt, zegt ze 'alsjeblieft, doe normaal, hé'.

| | | |
|---|---|---|
| 5 | *interviewer* | Het verhaal gaat dat Corrie de Bruin niet meer samen met jou wil trainen omdat je te veel lacht. Is dat waar? |
| | *Zhi Hong Huang* | Ja, haha, ja, dat klopt. Ik heb het ook pas gehoord hoor, ik wist het niet. Meestal willen mensen juist graag met me trainen. Ze vinden het leuk dat ik zo vrolijk ben. |
| 10 | *interviewer* | Sport je graag met iemand samen? |
| | *Zhi Hong Huang* | Ja, over het algemeen wel. Bij trainingen in Nederland voel ik me vaak alleen. |
| | *interviewer* | Waarom train je hier bijvoorbeeld niet met mannen? |
| | *Zhi Hong Huang* | Met wie dan? Je kan zelf wel bedenken dat er bijna niemand van mijn |
| 15 | | niveau te vinden is. |
| | *interviewer* | Ben je eigenlijk niet té vrolijk voor iets als kogelstoten, wat vaak geweldig saai is? |
| | *Zhi Hong Huang* | De meesten die aan wedstrijden deelnemen, zijn volkomen anders dan ik, dat klopt, haha. Ik ben een heel ander type. Zij vechten echt hè, |
| 20 | | voor de prijzen, weet je wel. En ze letten goed op hun lijf..., ze bepalen hun perfecte houding voor de wedstrijd... niks voor mij dus, hahaha! |
| | *interviewer* | Het lijkt wel alsof je er een hekel aan hebt! |
| | *Zhi Hong Huang* | Nou, nee hoor, ik heb geen hekel aan kogelstoten. Maar echt leuk vind ik het ook niet. Ik heb een enorme hekel aan trainen. Maar... |
| 25 | *interviewer* | Hoe... sorry... |
| | *Zhi Hong Huang* | Eh... waar was ik gebleven... O ja... Ik heb door mijn sport natuurlijk dingen kunnen doen die anders niet mogelijk waren geweest. Na een paar mooie prijzen mocht ik van de Chinese regering naar het buitenland om te studeren. Ik heb een tijdje in Engeland gewoond, maar ik had daar |
| 30 | | geen trainer. Via via kwam ik in contact met mijn trainer, Charles van Commenée, en kort daarna ben ik toen naar Tilburg verhuisd. |
| | *interviewer* | Maar Charles is niet je enige trainer, toch? |
| | *Zhi Hong Huang* | Nee nee. Charles helpt me, maar mijn echte trainer is een Chinees. Die heb ik nodig voor het technische stuk. Wij zijn klein en daarom |
| 35 | | afhankelijk van onze snelheid. Die is echt héél belangrijk voor ons. |
| | *interviewer* | Mis je China nou erg? |
| | *Zhi Hong Huang* | Een beetje wel, ja. Maar ik heb het best naar m'n zin hoor, hier in Brabant. Ik kan dichtbij huis trainen, echt twee minuten lopen, en de |

|   |   |   |
|---|---|---|
| 40 | *interviewer* | McDonald's is ook niet al te ver weg. |
|   | *interviewer* | Daar kom je regelmatig, begrijp ik? |
|   | *Zhi Hong Huang* | Ja, waarom niet? Het eten is klaar en je hoeft niet af te wassen. Ik heb een hekel aan al die dingen. Mijn ouders zeiden altijd dat ik meer op een zoon dan op een dochter leek. Ze vonden dat ik moest leren om dingen in het huis te doen. '*Voor als je gaat trouwen*', zeiden ze dan. Nou, ik zoek |
| 45 |   | wel iemand die het voor mij doet. |
|   | *interviewer* | Je redt je goed hier, zo te horen... |
|   | *Zhi Hong Huang* | Ja! Maar ik kook ook wel eens, hoor. De anderen maken vaak aardappelen klaar en die vind ik niet zo lekker. Dus maak ik zo veel mogelijk rijst. |
|   | *interviewer* | Wil je nog iets tegen ze zeggen? |
| 50 | *Zhi Hong Huang* | Ja, graag. Ik wil ze bedanken, want ze betekenen veel voor me. |

Naar: NRC *Handelsblad*, 7 augustus 1995.

| kogelstoten | het verhaal | geweldig | vechten | perfect | de snelheid |
|---|---|---|---|---|---|
| saai | trainen | de wedstrijd | het lijf | alsof | dichtbij |
| het wk | over het algemeen | deelnemen aan | bepalen | de trainer | afwassen |
| normaal | de training | volkomen | de houding | afhankelijk (van) | zich redden |

## Interesse

**... u graag ...?**
– Werkt u graag in de tuin?
– Ja, dat vind ik heerlijk.

– Sport je graag met iemand samen?
– Ja, over het algemeen wel.

**Houd je van ...?**
– Houd je van trainen?
– Nee, ik heb een enorme hekel aan trainen.

– Houdt u van moderne kunst?
– Ja, meestal vind ik het wel mooi.

**Interesseert u zich voor ...?**
– Interesseert u zich voor politiek?
– Nou, de laatste tijd eigenlijk steeds minder.

– Interesseer je je voor astrologie?
– Nee, absoluut niet.

## Zo ... mogelijk

| Kom | **zo** | snel | **mogelijk** | naar huis! |
|---|---|---|---|---|
| Dus maak ik | **zo** | veel | **mogelijk** | rijst. |
| Ik train | **zo** | dicht | **mogelijk** | bij huis. |

**B**     **2**  Het sprekende lichaam

# Een tentoonstelling in Tilburg

**Door Bernard Hulsman
TILBURG, 11 AUG. Taal
bestaat uit woorden. Zet de
woorden in een bepaalde**
5 **volgorde en je kunt er iets mee
zeggen. Dat moet worden
geleerd. Hoe wij die eerste
woordjes leren, kan niemand
zich herinneren.**

10  Hoewel baby's nog geen
woorden kennen, kunnen ze toch
heel veel zeggen. Er is een taal
die ze kennen: de lichaamstaal.
Daar hoef je geen woorden voor
15  te leren. Je kunt er iets mee
zeggen zonder te praten. Denk
maar aan een kind dat niet wil
eten: als zijn vader of moeder de
lepel in zijn mondje stopt, gaat
20  het kind nee-schudden en houdt
het zijn lippen stevig op elkaar.
Met het hele lijf zegt zo'n kind
'nee'. Ouders herkennen de
lichaamstaal van hun eigen
25  kinderen vaak goed.

### Dieren
Niet alleen mensen maken
gebruik van lichaamstaal. Ook
dieren hebben een lichaamstaal,
30  zo blijkt op de tentoonstelling
*Het sprekende lichaam* in het
Scryption en het Noordbrabants
Natuurmuseum, twee musea die

naast elkaar staan in Tilburg. Er
35  hangen veel foto's van dieren die
iets zeggen zonder te praten. Als
een hond bijvoorbeeld zijn
tanden laat zien, betekent dit: pas
op, doe nu niets verkeerd,
40  anders... En een poes met een
hoge rug en uitstaande haren is
meestal in gevaar.

### Gebaren
Dichter bij de 'echte' taal staat de
45  gebarentaal. Tikken op je
voorhoofd betekent in
Nederland: je bent gek. Je
wijsvinger opheffen en heen en
weer schudden betekent: 'niet
50  doen!' En als je je hand plat
onder je kin legt, geef je aan: 'het
zit me tot hier!' Het zijn gebaren
die we allemaal wel kennen. Ze
betekenen echter niet in elk land
55  hetzelfde. Met sommige gebaren
kun je in het buitenland dan ook

ernstig in de problemen raken.
Ook de gebarentaal van doven is
te zien op de tentoonstelling in
60  Tilburg. Je kunt er het meest mee
zeggen van alle lichaamstalen:
voor elk woord heeft de
gebarentaal van doven tekens en
gezichten. Ook die taal moet je
65  leren. Woord voor woord, gebaar
voor gebaar.

*Tentoonstelling: Het sprekende
lichaam. Non-verbale
communicatie bij mens en dier.*
70  *T/m 5 november in: Scryption en
Noord-Brabants Natuurmuseum,
Spoorlaan 434, Tilburg.
Geopend di t/m vr 10-17 uur, za
en zo 13-17 uur. Tijdens de*
75  *tentoonstelling 'Het sprekende
lichaam' geldt een gezamenlijke
toegangsprijs.*

Naar: NRC Handelsblad, 11 augustus 1995.

| | | | | |
|---|---|---|---|---|
| de volgorde | de tand | de gebarentaal | de dove | gezamenlijk |
| zich herinneren | oppassen | tikken | raken | de toegangsprijs |
| de lichaamstaal | de poes | opheffen | non-verbaal | |
| de lepel | de rug | plat | de communicatie | |
| de lip | het gevaar | de kin | openen | |

## *Zetten, leggen, stoppen*

| *Actie* | *Resultaat* |
|---|---|
| *Object in verticale positie:* | |
| **Zetten** | **Staan** |
| Ik zet het glas op tafel. | Het glas staat op tafel. |
| *Object in horizontale positie:* | |
| **Leggen** | **Liggen** |
| Ik leg het ondergoed in de kast. | Het ondergoed ligt in de kast. |
| *Object in kleine ruimte:* | |
| **Stoppen** | **Zitten** |
| Ik stop de boeken in mijn tas. | De boeken zitten in mijn tas. |

## C   🔈 3   Geluidsoverlast

| | |
|---|---|
| *Maaike Kuipers* | ... Stil eens, hoor ik een piano? |
| *Ellie Roelofs* | Ja, dat is de buurman, die is pianist. |
| *Maaike Kuipers* | O, ik wist niet dat het hier zo gehorig was. |
| *Ellie Roelofs* | Meestal valt het ook wel mee, maar zo'n piano gaat door alle |
| 5 | wanden heen hè. |
| *Maaike Kuipers* | Hij speelt wel goed, is het Mozart? |
| *Ellie Roelofs* | Ja, voor even is het leuk, maar op den duur word je er gek van. |
| *Maaike Kuipers* | Hoezo? Heb je er veel last van? |
| *Ellie Roelofs* | Nou, de laatste tijd gaat het wel weer, maar er zijn periodes |
| 10 | geweest dat hij van 's morgens vroeg tot 's avonds laat aan het |
| | spelen was. |
| *Maaike Kuipers* | O leuk! En heb je er niks van gezegd? |
| *Ellie Roelofs* | Nee, wat wil je. Het is zijn beroep natuurlijk. En in het begin... |
| *Maaike Kuipers* | Nee, Chopin. |

| 15 | Ellie Roelofs | Hè? |
|---|---|---|
| | Maaike Kuipers | Nee, ik dacht dat hij Mozart speelde, maar het is Chopin. O, sorry dat ik je onderbrak. Ga rustig door. |
| | Ellie Roelofs | Nee, ik wilde zeggen, in het begin wist ik niet precies wat ik moest doen: meteen er naartoe gaan of afwachten. |
| 20 | Maaike Kuipers | Nou, ik zou er meteen naartoe gaan. |
| | Ellie Roelofs | Ja, eigenlijk had ik dat ook beter kunnen doen. Jos zei ook wel eens: 'Ga toch naar boven als het je stoort. Hij begrijpt best dat het voor jou niet leuk is als hij de hele avond aan het spelen is.' Maar ik durfde niet zo goed, want het is verder wel een heel aardige kerel. |
| 25 | | |
| | Maaike Kuipers | En uiteindelijk ben je toch gegaan? |
| | Ellie Roelofs | Ja, op een gegeven moment was hij om twaalf uur 's nachts nog aan het spelen. Toen werd het me echt te gek. |
| | Maaike Kuipers | En hoe reageerde hij? |
| 30 | Ellie Roelofs | O, eerst schrok hij. Hij had niet door dat ik hem hoor als hij aan het oefenen is, dus hij schaamde zich natuurlijk dood. Maar hij heeft toen beloofd dat hij voor negen uur 's morgens en na tienen 's avonds niet zal spelen. En verder zei hij: 'Kom gerust langs als je nog eens last van me hebt.' |
| 35 | Maaike Kuipers | O, dat is aardig. |
| | Ellie Roelofs | Ja, en liever een pianist boven je hoofd dan een drummer natuurlijk. |
| | Maaike Kuipers | Ja, of een zangeres. Je kent toch dat verhaal van Bas die een zangeres boven zich heeft? Nee? Nou, moet je horen... |

| | | | | |
|---|---|---|---|---|
| de geluidsoverlast | de wand | de kerel | schrikken | beloven |
| de piano | door (...) heen | uiteindelijk | doorhebben | de drummer |
| de pianist | er naartoe | op een gegeven | oefenen | de zangeres |
| gehorig | durven | moment | zich dood schamen | |

## Aansporen

**toch**
– Kom toch even binnen, joh.
– Nou, heel even dan.

– Jos zei ook wel eens: 'Ga toch naar boven als het je stoort.'
– En uiteindelijk ben je gegaan?

**rustig**
– Stoort het je, als ik de muziek aanzet?
– Nee, zet maar rustig aan, hoor.

– Sorry dat ik je onderbrak. Ga rustig door.
– Nee, ik wilde zeggen, in het begin wist ik niet precies wat ik moest doen.

**gerust**
– Je kan gerust komen hoor, Aref is er niet.
– Blijft hij de hele middag weg?

– En verder zei hij: 'Kom gerust langs als je ooit nog eens last van me hebt.'
– O, dat is aardig.

## Zijn + aan het + infinitief

**Zijn + aan het + infinitief** = *bezig zijn te ...*

– Peter, kan jij even de telefoon opnemen? Ik ben aan het afwassen.

– Heb je zin om even langs te komen?
– Nou, we zijn aan het verhuizen, dus liever een andere keer.

– Er zijn periodes geweest dat hij van 's morgens vroeg tot 's avonds laat aan het spelen was.
– Hij begrijpt best dat het voor jou niet leuk is als hij de hele avond aan het spelen is.
– Hij had niet door dat ik hem hoor als hij aan het oefenen is.

*Let op:* zijn + aan het + infinitief
Ik ben aan het afwassen.
Nou, we zijn aan het verhuizen, dus liever een andere keer.

**D**    ## 4  Negen vrouwen in een zeventien meter lange Mercedes

In 1993 ontstond de Holland Acht, een soort Nederlands elftal voor roeien. Sinds vorig jaar is er ook een vrouwenacht. Uit het niets voerde coach Kris Korzeniowski 'zijn vrouwen' de top binnen. Vorig jaar werden ze vierde, dit jaar roeiden
5  ze op het WK en haalden de derde prijs. Volgend jaar wachten de Olympische Spelen.

De roeisters van Kris Korzeniowski moeten stevig in hun schoenen staan. Hij stelt de regels op, en niemand anders. Iedere dag een training, iedere training is een wedstrijd,
10  iedere wedstrijd kent slechts één resultaat dat hem tevreden stelt: de eerste plaats. Als roeister bij Korzeniowski moet je dat aanvaarden, en anders kun je maar beter vertrekken. 'Ik heb niets aan roeisters die goed kunnen trainen, ik wil roeisters die de top bereiken. Ik kan niet goed tegen m'n
15  verlies, ik geniet alleen van een eerste plaats. Dáár moeten we dus eindigen,' aldus Korzeniowski.

De manier waarop Korzeniowski traint, is nieuw in Nederland. Hij begint met een grote groep vol talent en laat de vrouwen net zo lang elkaars concurrent zijn tot hij de
20  beste combinatie heeft gevonden. Korzeniowski: 'In Amerika

en Canada vinden ze dat heel gewoon. Daar vechten ze zich
dood om erbij te horen. Voorheen was het in Nederland
vooral een zaak van vrienden onder elkaar. Je weet wel, ons-
25 kent-ons. Als je de juiste contacten niet had, kwam je er niet
tussen. Dat is nu over. Ik heb gewoon een advertentie in de
krant gezet: gezocht voor Atlanta, sterke vrouwen langer dan
1,78 meter. Na anderhalve week trainen maak ik bekend wie
erin komen.'

30 Wie denkt dat Korzeniowski zijn programma wel geleidelijk
opbouwt met zo'n jonge groep, heeft het verkeerd. 'De
vrouwen moeten enorm hard trainen, elke dag. Maar het
werkt, echt. Eindelijk hebben we in Nederland een
vrouwenacht aan de top. En dat in zo'n korte tijd. U mag
35 van mij aannemen dat dat heel bijzonder is,' aldus Bolhuis,
chef d'equipe voor de Olympische Spelen. De vrouwen, van
wie er één stuurt, staan inmiddels aan het water, klaar om in
te stappen. Bolhuis: 'Zeventien meter lang, mevrouw, dat
ding. 't Is net een Mercedes als je erin zit, echt waar. Kijk
40 eens hoe mooi hij over het water glijdt…'

Naar: NRC *Handelsblad*, 26 augustus 1995.

| het elftal | opstellen | eindigen | geleidelijk |
| roeien | de regel | aldus | opbouwen |
| de vrouwenacht | slechts | voorheen | aannemen |
| de coach | aanvaarden | de advertentie | de chef d'equipe |
| de roeisters | tegen je verlies kunnen | bekendmaken | glijden |

## D   5   Taal op borden

Kent u deze borden? Sommige borden wijzen u de weg,
bijvoorbeeld op het station als u de wc's zoekt of het
restaurant. Andere verbieden u iets. Bijvoorbeeld: 'verboden
hier ijs te eten' of 'verboden voor honden'.

het bord
de wc
verbieden

## *Verbieden*

| | |
|---|---|
| **verboden** | Verboden toegang.<br>Verboden voor honden.<br>Verboden te roken. |
| **Je mag ... niet ...** | Je mag nu niet buiten spelen.<br>U mag in het park niet fietsen. |

**E**　　**6**　**Na kijken komt zien**

Kijken is voor de meesten van ons geen kunst, maar zien is
een heel ander verhaal. In deze tekening zien mensen
verschillende dingen.

# 4 Af en toe zon

## A   1   De milieu-enquête

**Grote resultaten beginnen klein.
Willen we onze wereld leefbaar houden,
dan moeten we er allemaal iets aan doen.
Als we dichtbij huis beginnen en onze
krachten verenigen, kunnen we
uiteindelijk tot grote dingen komen.
Milieu-organisaties willen daarbij graag
helpen. Meestal geven zij zelf informatie.
Deze keer hebben ze bekende
Nederlanders naar hun mening gevraagd.**

**1** *'Gezond en lekker eten kan ook zonder elke dag vlees. Dat is goed voor het milieu én je eet goedkoper. Bovendien hoeven er niet zo veel dieren te worden gedood.'*
Monique van de Ven, filmactrice

**2** *'Het gevolg van onze consumptiemaatschappij is dat we veel te veel kopen, hebben en weer wegdoen. Daarom is het proces van recycling zo belangrijk. Winkels moeten dus niet alleen apparaten verkopen, maar ze ook weer innemen. Ze kunnen dan voor iets anders worden gebruikt.'*
Paul van Vliet, cabaretier

**3** *'De laatste jaren zien we langs de kant van de weg gelukkig weer meer bloemen en planten. Dat komt omdat er minder chemische bestrijdingsmiddelen worden gebruikt. Ik vind dat een goede zaak.'*
Ida van Beek, activiste

**4** *'Vanwege het milieu rijd ik niet te hard. Als iedereen zich aan de juiste snelheid houdt, dan is dat beter voor het milieu.'*
Olivier de Vries, oud-politicus

**5** *'Oud papier kan nieuw papier opleveren. Dat is toch prachtig? En wij, mensen, hoeven er bijna niets voor te doen. Ik breng mijn oud papier naar de papierbak, zodat het opnieuw kan worden gebruikt.'*
Iteke Luthijn, journaliste

**6** *'Licht, radio, tv en computer: doe ze uit als je ze niet gebruikt. Dat is beter voor het milieu en het kost minder geld.'*
Marcel van Dam, voorzitter van de VARA

> **7**  *'Ook de boeren denken gelukkig steeds*
> *meer aan het milieu. We hebben veel koeien*
> *in Nederland en daardoor te veel mest. Al die*
> *mest is zo slecht voor het milieu, dat ik hard*
> *optreed tegen boeren die te veel mest*
> *produceren.'*
>                                   Jos van Zwaartsen, minister

> **8**  *'Ik denk altijd goed na over de*
> *producten die ik koop. Als het kan, kies ik*
> *dan ook díe producten die het minst slecht*
> *zijn voor het milieu. Dan kan*
> *tegenwoordig steeds meer. Neem*
> *bijvoorbeeld de* EKO *-aardappelen of de*
> *Milieukeur-producten, die zijn beter voor*
> *het milieu.'*
>                                   Willem Nijholt, acteur

Naar: *de Volkskrant*, Doe Mee! Nationale Milieu-Enquête 1995.

| | |
|---|---|
| de milieu-enquête | de bloem |
| leefbaar | de plant |
| de kracht | chemisch |
| verenigen | het bestrijdingsmiddel |
| daarbij | vanwege |
| doden | het papier |
| de filmactrice | opleveren |
| het gevolg | de papierbak |
| de consumptiemaatschappij | zodat |
| wegdoen | de boer |
| het proces | de koe |
| de recycling | de mest |
| de cabaretier | produceren |
| de kant | |

## Gevolg

**zodat**          Ik breng mijn oud papier naar de papierbak,
                   zodat het opnieuw kan worden gebruikt.

**zo ... dat**     Al die mest is zo slecht voor het milieu, dat ik hard
                   optreed tegen boeren die te veel mest produceren.

**dan ook**        Ik denk altijd goed na over de producten die ik
                   koop. Als het kan, kies ik dan ook díe producten
                   die het minst slecht zijn voor het milieu.

## B  ▭ 2   Alle jongens willen vuilnisman worden

Vanaf zijn derde wenste hij maar één ding: hij moest en zou vuilnisman
worden. Elke woensdag stond hij als klein jongetje om half negen aan
het begin van de route van de vuilniswagen. Hij bekeek hoe de auto door
het grote hek naar buiten kwam en de mannen erop sprongen. En hoe ze
5   er daarna de hele dag zakken in gooiden. Dat wilde hij ook. Jasper
Mikkers (26) is nu vuilnisman in Deventer. Bovendien heeft hij het
eerste afvalmuseum van Nederland. Roel, een vroegere vriend van hem,
besloot bij Jasper op bezoek te gaan. Hij loopt nu het museum binnen.

|          |        |                                          |
|----------|--------|------------------------------------------|
|          | *Jasper* | Hé, wat zullen we nou krijgen...       |
| 10       | *Roel*   | Ha, dat had je niet gedacht hè?!       |
|          | *Jasper* | Wat doe jij hier?                      |
|          | *Roel*   | Ja, ik dacht, ik ga 'es even naar Jasper... |
|          | *Jasper* | Ik kan het nauwelijks geloven. Hoe     |
| 15       |          | weet je nou dat ik hier zit?           |
|          | *Roel*   | Ik heb laatst een artikeltje over jou in de krant gelezen, je weet wel, over je museum. Nou, ik heb nog altijd goede herinneringen aan onze tijd op de |
| 20       |          | middelbare school. Ik vond het eigenlijk zo jammer dat ik je nooit meer gezien heb. En nu had ik een vrije dag, dus dacht ik 'Kom Roel, pak de auto en rij naar Jasper.' Zo is het |
| 25       |          | gekomen.                               |
|          | *Jasper* | Dan heb jij een flink eind gereisd, denk ik. Woon je nog steeds in Sittard? |
|          | *Roel*   | Nou, in een klein plaatsje ten westen ervan. Een tijdje geleden heb ik daar |
| 30       |          | een huis gekocht.                      |
|          | *Jasper* | Een huis gekocht, Roel... toe maar. Het gaat goed met je! |
|          | *Roel*   | Ja, weet je, nu gaat het wel weer goed met me. Maar toen ging ik dus apart |
| 35       |          | wonen. Mia en ik zijn twee jaar geleden uit mekaar gegaan. Of liever gezegd, ze was ineens verdwenen met een vreemde kerel... |

**Vuilnisman Jasper Mikkers in het afvalmuseum**

*Jasper* O, mooie boel.

*Roel* ...ja, en dat oude huis vond ik maar niks. Daar heb je samen in gewoond en zo. Nou, toen dacht ik: 'Mia, je mag de hele troep hebben, ik koop wel iets nieuws.' En eenmaal in mijn nieuwe huis ging het stukken beter. Ik ben nu een beetje aan het leven alleen gewend.

*Jasper* Ja, dat duurt wel even, natuurlijk.

*Roel* Maar nu genoeg over mij. Laat me je museum eens zien. Ik las dat je alleen nog maar aan afval denkt tegenwoordig.

*Jasper* Ja, dat klopt wel. Ik ben vuilnisman en in mijn vrije tijd ben ik ook vaak met vuilnis bezig.

*Roel* Wat doe je dan, als ik vragen mag?

*Jasper* Deze zomer heb ik een dagje als vuilnisman in Londen gelopen, en later ook in Scheveningen. Ik maak foto's van afval, van vuilniswagens, ja, alles eigenlijk. En ik heb natuurlijk het museum.

*Roel* Nou, nou. Alles wat met afval te maken heeft, staat hier ook zo'n beetje, hè? Oude vuilnisbakken, al die foto's van vuilnismannen, mooi hoor. En die oude fiets, Jasper, dat was vroeger, zeg maar, de vuilniswagen?

*Jasper* Ja. Een hele oude vuilniswagen, kun je zeggen.

*Roel* Maar waarom ben je nou zo gek van vuilnis?

*Jasper* Tja... Net als de helft van alle jongetjes wilde ik altijd al vuilnisman worden. Dat is niet zo vreemd. Want wat jij niet ziet, maar ik wel, is dat vuilnismannen altijd gevolgd worden door hele groepen kleine jongetjes. Die staan met open mond naar ons te kijken. Verder geeft dit werk een gevoel van vrijheid. Die kracht van de vuilniswagen die alles kapot maakt. En een beetje vandalisme komt er ook wel bij kijken. Vijf jaar geleden mocht je in Deventer nog alle soorten afval aan de straat zetten. Hele koelkasten en televisies gingen erin, weet je wel. Nou joh, dat springt uit mekaar onder die snijdende messen... In een paar seconden is alles weg! Prάchtig om te zien.

*Roel* Je blijft het mooi vinden, hè?

*Jasper* Ja. Maar ik moet wel zeggen dat de tijd met de zakken het mooist was. Sinds een tijdje werken we in Deventer met containers en dat is minder. Je verliest het contact met het vuilnis. Nu weet je niet meer wat erin zit. Vroeger wel. Als iemand een nieuwe videorecorder had gekocht, dan zag ik dat meteen aan de lege doos, hè? Nou, dat heb je nu niet meer. Het werk met de containers is wel minder gevaarlijk.

80   *Roel*   Nou, het ziet er hier goed uit hoor.

*Jasper*   Ja, ik ben er zelf ook wel tevreden over. Er komen regelmatig
mensen en in de toekomst...

*Afvalmuseum*, Jasper Mikkers, Assendorperstraat 211, 8012 DM Zwolle, tel: 038-4217852
Naar: NRC *Handelsblad*, 21 september 1995.

| | | | | |
|---|---|---|---|---|
| de vuilnisman | gooien | apart | het afval | het mes |
| de route | het afvalmuseum | verdwijnen | de vuilnisbak | de container |
| de vuilniswagen | besluiten | de troep | het gevoel | de doos |
| bekijken | nauwelijks | eenmaal | de vrijheid | gevaarlijk |
| het hek | de herinnering | wennen (aan) | het vandalisme | |
| de zak | het westen | het vuilnis | snijden | |

## C     3   Het weer

### Verwachting voor maandag 13 mei

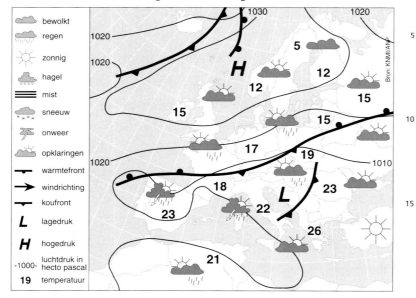

**DE BILT, maandag**

Zaterdag was een mooie dag. In heel
Nederland scheen de zon en het was
zacht weer voor de tijd van het jaar. Op
sommige plaatsen was het warm met een      5
temperatuur van twintig graden. De wind
kwam uit het noorden en was zwak.
Maar zondag begon de herfst, zo leek
het. De hele dag regende het flink en het
waaide hard. Zware wolkenvelden
bevonden zich vooral in het noorden en      10
oosten van het land.
Ook vandaag vrij veel regen en wind.
Aan de kust waait het hard, vermoedelijk
kracht zes of zeven. De wind komt eerst
uit het noordwesten maar draait later      15
meer naar het zuiden. De temperatuur
ligt rond de vijftien graden.

**Verwachting voor dinsdag tot en met      20
vrijdag:**

Nat en veel wind. De temperatuur ligt
waarschijnlijk iets hoger, zo rond de
zestien, zeventien graden. In het
weekend mogelijk wat zon.

| | | |
|---|---|---|
| schijnen | regenen | het noordwesten |
| zacht | zich bevinden | het zuiden |
| de temperatuur | het oosten | de verwachting |
| het noorden | de kust | nat |
| zwak | vermoedelijk | |

## C          4  Het wit is van de wolken

| | |
|---|---|
| Hende riba un dak. | Mensen staan op het dak. |
| Ku nan ta limpia. | Ze maken het schoon. |
| E yu muhé ta hari. | De dochter staat te lachen. |
| Nan ta kontentu. | Ze zijn blij. |
| Wer ta bon, | Het weer is mooi, |
| shelu blou, | blauwe lucht, |
| nubianan blanku. | witte wolken. |

*Durmus Dogan,*
*Rotterdam, 11 jaar*

het dak
blij
de wolk

**Blanku**          **Wit**
Kas          Huizen
Paña          Kleren
waya          Lijnen
tur ta blanku.          alles wit.
Nan ta pretu          En zwart
Nan ta blanku          En wit
Blanku ta di nubia          Het wit is van de wolken
blanku, blanku, blanku, blanku          wit, wit, wit, wit
blanku...          wit...

*Myllewell Cathalina,*
*Willemstad, 9 jaar*          Blanku di nubia          Het wit is van de wolken

de lijn

Uit: *Novib-kalender* 1995.

---

### *Zeggen dat iets niet zeker is*

**waarschijnlijk**          De temperatuur ligt waarschijnlijk iets hoger, zo rond de
zestien, zeventien graden.

**mogelijk**          In het weekend mogelijk wat zon.

**vermoedelijk**          Aan de kust waait het hard, vermoedelijk kracht zes of zeven.

### Het weer

| | |
|---|---|
| **Wat voor weer is het?** | – Wat voor weer is het eigenlijk?<br>– Nou, best mooi. Er is een klein zonnetje. |
| **Wat voor weer wordt het?** | – Wat voor weer wordt het morgen?<br>– Het wordt morgen rond de zestien graden. |
| **Het is … (weer)** | – Wat voor weer is het bij jullie?<br>– Het is hier lekker weer. |

Het regent

Het sneeuwt

Het waait

De zon schijnt

## Graduering (1)

**wat**
– Kunt u misschien wat harder praten?
– Natuurlijk, meneer.

In het weekend mogelijk wat zon.

**vrij**
– Ik heb de laatste tijd vrij veel last van hoofdpijn.
– Misschien heb je een bril nodig.

Ook vandaag vrij veel regen en wind.

**tamelijk**
– Hoe was de lezing?
– Nou, er waren tamelijk veel mensen, dus ik ben wel tevreden.

Het weer blijft tamelijk zacht.

## Ongeveer

**ongeveer**
– Hoeveel kost een retourtje Rotterdam, denk je?
– Ongeveer twintig gulden.

De temperatuur wordt ongeveer vijftien graden.

**een … of …**
– Hoe ver is het, van hier naar het centrum?
– Een minuut of tien lopen, denk ik.

Aan de kust wordt het een graad of zestien.

**rond**
– Hoe laat kom je morgen?
– Nou, rond een uur of drie, denk ik.

De temperatuur ligt waarschijnlijk iets hoger,
zo rond de zestien, zeventien graden.

**D**    🔲 **5   Hondenpoep**

| | |
|---|---|
| *Sandra Leegwater* | Hé, zie je dat? Daar heb je haar weer. |
| *Robert Little* | Wie? |
| *Sandra Leegwater* | Die meid met die drie hondjes. |
| *Robert Little* | Welke meid met welke hondjes? |
| 5 *Sandra Leegwater* | Nou, weet je wel, die pas in de buurt is komen wonen. |

| Robert Little | Nou en? |
| Sandra Leegwater | Nou en? Ze laat haar honden weer uit op het veldje voor ons huis. |
| Robert Little | Ja, wat wil je? Het is toch een openbaar veld? |
| Sandra Leegwater | Openbaar veld, ja, inderdaad, openbaar veld. Dat betekent dat de |
| | kinderen er heerlijk met een bal zouden kunnen spelen als het niet |
| | door de hele buurt als toilet voor de honden werd gebruikt. Ik heb |
| | toch al zo'n hekel aan honden. Ik houd trouwens helemaal niet van |
| | huisdieren, of het nou katten, of honden, of vissen, of vogels zijn. |
| | Dieren horen in de vrije natuur. Die moet je niet aan een touw |
| | binden, vind ik. |
| Robert Little | Nou, gezellig avondje zo. Ik denk dat ik maar eens een biertje |
| | neem. Wil je ook wat drinken? |
| Sandra Leegwater | Nee, ik ga zo naar bed, ik heb slaap. Trouwens, jij zou toch een |
| | brief aan de gemeente schrijven? Heb je dat al gedaan? |
| Robert Little | O ja, dat is waar ook. |
| Sandra Leegwater | Dus dat heb je niet gedaan? Dat is helemaal mooi! |
| Robert Little | Nou, ik vraag me af of zo'n brief zin heeft. Er is volgens mij niets |
| | aan te doen. |
| Sandra Leegwater | Dat weet je nooit. De gemeente kan honden toch verbieden hier te |
| | poepen? Ik vind het vreselijk. Straks kun je geen stap meer zetten |
| | op het gras. |
| Robert Little | Nou, en wat dan nog? Dan loop je over de weg. |
| Sandra Leegwater | Nou, jij maakt je ook nergens druk over, geloof ik. |
| Robert Little | O, jawel hoor. Maar hierover niet. Dat vind ik echt niet de moeite |
| | waard. |
| Sandra Leegwater | Nou, ik ga naar bed. Goedenacht. |
| Robert Little | Welterusten. |

10

15

20

25

30

| de hondenpoep | het huisdier | het bed | zich druk maken over |
| de meid | de kat | de slaap | hierover |
| uitlaten | de vogel | de gemeente | goedenacht |
| het veld | het beest | poepen | |
| de bal | het touw | de stap | |
| het toilet | binden | het gras | |

## Onverschilligheid

**Nou en?**

– Daar is die meid met die hondjes weer.
– Nou en?

**Wat wil je?**

– Iedereen laat z'n hond hier voor ons huis uit.
– Ja, wat wil je, het is een openbaar veld.

**Nou, en wat dan nog?**

– Straks kun je geen stap meer zetten op het gras.
– Nou, en wat dan nog? Dan loop je over de weg.

## Het verkleinwoord

**Het verkleinwoord wordt meestal gebruikt om uit te drukken dat iets klein of onbelangrijk is. Soms heeft het verkleinwoord een *aparte* betekenis, bijvoorbeeld: ijsje, biertje.**

*Zelfstandig naamwoord* +

| **-je** | eindje, briefje | – Zullen we een eindje lopen?<br>– Ja, goed. |
| **-tje** | biertje, eitje | – Heb je zin in een biertje? (= een glas bier)<br>– Ja, lekker. |
| **-pje** | boompje, filmpje | – Wat een mooi boompje heb je daar in de tuin staan.<br>– Ja, leuk hè? Hij doet het erg goed dit jaar. |
| **-kje** | harin**k**je, wonin**k**je | – Heb je soms zin in een harinkje?<br>– O nee, dank je. Ik houd helemaal niet van haring. |
| **-etje** | plan**n**etje, we**gg**etje | – Ik heb een plannetje bedacht voor Paul.<br>– O, vertel eens. |

**E**    **6**

DAGELIJKS GOOIEN WE
5 MILJOEN MELK- EN
VRUCHTESAPPAKKEN WEG

GENOEG KARTON, KUNSTSTOF EN
ALUMINIUM VOOR 100.000
VERHUISDOZEN, 67.500 EMMERS EN
165 SPORTFIETSEN

MINDER AFVAL HEB JE
ZELF IN DE HAND

EEN BETER MILIEU BEGINT BIJ JEZELF

# Minder afval heb je zelf in de hand

Ministerie van VROM, 1992

**E**    **7**    # Zo waait de wind

Zo komen de dingen en gaan
we verzinnen ze niet, ze gebeuren
en al weten we niet waarvandaan
ze maken ons blij of we treuren
5  alles is nemen en geven lief kind
zo waait de wind

De wolken ze varen
ze varen voorbij
de sneeuw van december
10  de bloei van de mei
alles wat ik zing
wordt herinnering lief kind
zo waait de wind
't is 'n hand op je schouder
15  'n voetstap op 't grind
zo waait de wind

Zo komt de liefde
opeens ontmoet je haar
ze komt jouw kant op
20  en niemand weet van waar
als je de moed al hebt verloren
komt onverwacht 'n vrind
zo waait de wind

*Toon Hermans*

Uit: Toon Hermans,
*Zo waait de wind.*
Uitgeverij De Fontein bv,
Baarn 1994.

# 5 Verliefd, verloofd, getrouwd

## A    1   Huisje, boompje, beestje

De generatie Nix worden ze wel genoemd, of de 'verloren
generatie'. Ze groeien op in welvaart, maar worden
volwassen in een wereld waar niets meer zeker lijkt: de jeugd
van de jaren negentig.

5   Zien jongeren de zaken zelf ook zo somber in? Of kunnen ze
misschien beter met onzekerheid omgaan dan de vorige
generatie? In de serie JONG liet de Volkskrant jongeren zelf
aan het woord. Eén van hen is Sandra Koene (23), eigenares
van kapperszaak *'Sanny's Hair'* in Amsterdam.

10  'Als kind had ik zoiets voor ogen van: op je achttiende
verliefd, op je negentiende verloofd, op
je twintigste
getrouwd en met
21 je eerste kindje.
15  Nu weet ik het niet.
De ene keer heb ik
geen zin om te
trouwen en
vind ik alles
20  wat ik nu doe veel te
leuk. Een andere keer denk ik:
wat is het leven waard als je
niemand hebt om het mee te
delen? Ik ben nu 23 en de klok
25  tikt door. Maar ik heb nog alle
tijd. Als je voor je dertigste
aan de man komt, is dat nog
vroeg genoeg.
Ik woon nu alleen. Ik heb een tijdje
30  samengewoond, maar dat is niks geworden.
Uiteindelijk deden we elkaar alleen maar
verdriet. Hij was te jaloers, wou me steeds
bij zich hebben. Ik kon mezelf helemaal niet
zijn. Dat ik werkte vond hij prima, maar ik
35  moest er geen ambities buiten hebben.
Kennelijk omdat ik niet sterker mocht
worden dan hij, financieel gezien. Onzin
natuurlijk. Daarom zijn we uit elkaar

gegaan. Sinds die tijd ben ik heel kritisch over relaties. Ik zit
40  in een vaste groep van dertig à veertig vrienden en
vriendinnen, waarmee ik vaak uitga. Er is een tijd geweest
dat mensen om me heen veel wisselende relaties hadden. De
laatste tijd zijn ze serieuzer.
De vriendinnen met wie ik het meest omga zijn alleen. Of ze
45  wonen samen. Ik heb wel twee vriendinnen die een kind
hebben, maar ze zijn geen van beiden getrouwd. Niemand zit
met huisje, boompje, beestje. Terwijl ik dat zelf later wel wil.
Als ik de ware man ontmoet, zal ik mijn plannen moeten
veranderen. Een kapperszaak kan je ook aan huis hebben.
50  Maar of dat kan als je een partner en kinderen hebt, weet ik
niet. Het moet wel mijn eigen besluit zijn om te stoppen met
werken. Als ik er nog geen zin in heb en hij blijft maar
zeuren, dan zou ik daarvoor niet definitief mijn zaak sluiten.
De partner die ik zal kiezen moet wel ambitieus zijn, iemand
55  die goed bezig is met zijn leven en weet wat hij wil. Mijn
ouders zitten nog altijd verliefd hand in hand op de bank en
ze hebben elkaar nog veel te vertellen. Zo wil ik het zelf later
ook.
Een vriendin van mij heeft twee kinderen en haar vriend en
60  zij werken allebei fulltime. Aan de ene kant heb ik daar
respect voor. Aan de andere kant heb ik zoiets van: verdorie,
dat is toch niet goed voor je kinderen!'

Naar: *Jong, Zeventien interviews met een nieuwe generatie.* Uitgave van *de Volkskrant*, 1995.

| | | |
|---|---|---|
| de generatie | delen | ontmoeten |
| opgroeien | de klok | het besluit |
| de welvaart | aan de man komen | zeuren |
| volwassen | het verdriet | definitief |
| de jeugd | jaloers | ambitieus |
| somber | de ambitie | fulltime |
| de serie | kennelijk | aan de ene kant |
| de eigenaar | uit elkaar gaan | het respect |
| de kapperszaak | kritisch | aan de andere kant |
| iets voor ogen hebben | à | verdorie |
| verloofd | huisje, boompje, beestje | |

## Zelf, elkaar

| | | |
|---|---|---|
| **Zelf** | | Ik kon mezelf helemaal niet zijn. |
| | | Zo wil ik het zelf later ook. |
| | | Wij zijn een eigen zaak begonnen. Eindelijk hebben we iets voor onszelf. |
| **Elkaar** | *personen* | Uiteindelijk deden we elkaar alleen maar verdriet. |
| | | En ze hebben elkaar nog veel te vertellen. |
| | *zaken* | Wat ben jij slordig! Al je kleren liggen door elkaar. |
| | | De auto's reden achter elkaar. |

## Beide(n), allebei

**Beide(n) betekent: de/die twee**

| | |
|---|---|
| **beiden** *(personen)* | Ik heb wel twee vriendinnen die een kind hebben, maar ze zijn geen van beiden getrouwd. |
| **beide** *(zaken)* | Ik kom op de vergadering met twee problemen. Beide moeten worden opgelost. |

**Allebei betekent: de/die twee. Het wordt vooral in de spreektaal gebruikt.**

| | |
|---|---|
| **allebei** *(personen)* | Haar vriend en zij werken allebei fulltime. |
| **allebei** *(zaken)* | – Ik heb je twee boeken meegegeven. Heb je die al gelezen? |
| | – Nee, ik heb ze nog niet allebei gelezen. |

**B**     2   # We doen bijna alles samen!

Jean-Paul en Hans René zijn tweelingen. Ze studeren allebei Engels en vertellen iets over hoe het is als je een tweeling bent.

*Jean-Paul*   Nou, we trekken veel met elkaar op, ook nu we allebei studeren. Dat is wel handig. Vaak verdelen we het werk en
5   dan gebruiken we elkaars uittreksels. De zijne zijn altijd beter dan die van mij, dus daar heb ik geluk mee. Ruzie? Nee, dat hebben we niet veel. Sommige vrienden van ons zijn daar wel

eens jaloers op. Die hebben dan veel
problemen met hun eigen broers of zussen,
terwijl wij behalve broers ook vrienden van
elkaar zijn.

**Hans René**  Nou, voetbal, dat doen we ook samen.
Eerst stond ik in het doel en Jean-Paul
niet, maar later voetbalden we ineens naast
elkaar. Ja, we vormen echt een eenheid.

**Jean-Paul**  Ja, hij is wel hij en ik ben wel ik, maar we
zijn toch moeilijk te scheiden. Op feestjes
gebeurt het vaak dat ik met iemand sta te
praten en dan blijkt dat Hans René
hetzelfde verhaal al verteld heeft. Een vorm
van telepathie lijkt het wel.

**Hans René**  Over veel dingen denken we ook hetzelfde,
over de politiek vooral. Wat soms wel
moeilijkheden geeft, is het feit dat ik sinds
anderhalf jaar een verhouding heb met
Tanja.

**Jean-Paul**  Met die relatie heb ik het aanvankelijk wel
moeilijk gehad, ja. Kijk, we doen bijna
alles samen, ook eten. En Hans René kwam dan vaak
gewoon niet. Ik was dan hartstikke boos, hoewel ik best inzag
dat ik mijn wil niet aan hem kon opleggen. 'Verdomme',
dacht ik dan, 'waarom komt hij niet?'

**Hans René**  Dan bleef ik liever bij Tanja eten. Maar ach, na een tijdje kan
je daar als broers over praten. Hoewel we er bijna hetzelfde
uitzien, hebben we toch elk een eigen persoonlijkheid. Ik leg
bijvoorbeeld eerder contacten, Jean-Paul kijkt meer de kat
uit de boom.

**Jean-Paul**  Ik ben nog maar twee keer echt verliefd geweest. Ik hou
helemaal niet van spelletjes om iemand te versieren. Wat een
flauwekul! Maar als ik eenmaal van iemand houd, dan kan
die op mij rekenen.

Naar: *Ad Valvas*, 15 november 1990.

| | | |
|---|---|---|
| de tweeling | het doel | inzien |
| met elkaar optrekken | de eenheid | de wil |
| het uittreksel | scheiden | opleggen |
| het geluk | de telepathie | de persoonlijkheid |
| de ruzie | de moeilijkheid | de kat uit de boom kijken |
| het voetbal | aanvankelijk | op iemand/iets rekenen |

## *Boosheid*

| | |
|---|---|
| **boos** | En Hans René kwam dan vaak gewoon niet. Ik was dan hartstikke boos! |
| **flauwekul** | Ik houd helemaal niet van spelletjes om iemand te versieren. Wat een flauwekul! |
| | – Als ik een kind krijg, dan stop ik met werken.<br>– Wat een flauwekul! Je kan toch gewoon blijven werken. |
| **onzin** | Misschien wel omdat ik niet sterker mocht worden dan hij, financieel gezien. Onzin natuurlijk. |
| | – Nu je Tanja hebt, kom je nooit meer bij mij.<br>– Wat een onzin! Ik zie je nog regelmatig. |
| **verdomme** | 'Verdomme', dacht ik dan, 'waarom komt hij niet?' |
| **verdorie** | Aan de andere kant heb ik zoiets van: verdorie, dat is toch niet goed voor je kinderen! |

## *Bezitsrelaties (2)*

| 1 | de/het | **mijne** | die/dat | **van mij** |
|---|---|---|---|---|
| 2 | | **jouwe** | | **van jou** |
| | | **uwe** | | **van u** |
| 3 | | **zijne** | | **van hem** |
| | | **hare** | | **van haar** |
| | | | | |
| 1 | | **onze** | | **van ons** |
| 2 | | **-** | | **van jullie** |
| | | **uwe** | | **van u** |
| 3 | | **hunne** | | **van hen** |

De zijne zijn altijd beter dan die van mij, dus daar heb ik geluk mee.
Mag ik jouw boek even lenen? Het mijne ligt thuis.
Hun politieke ideeën zijn anders dan de onze. Die van hen zijn erg rechts.

## C    **3**   Familie en relaties

---

*Lieve Liesbeth,*
Gefeliciteerd met je verjaardag
namens de hele familie!
Veel liefs van ons allemaal.

---

Vandaag viert onze

**OPA JAN VAN BOVEN**

zijn 85ste verjaardag.

Opa, van harte gefeliciteerd,

uw kleinkinderen.

---

*Geboren:*

# *Fiene*

dochter van Désirée Bierman
en Ruud Simpel

Hoorn, 29 oktober 1995

---

Vandaag trouwen:

**Christoffer Heley**
en
**Marian de Moor**

Den Haag, 13 januari 1996

---

Verdrietig nemen wij afscheid van
mijn lieve zoon,
onze broer, zwager, oom en vriend

**JAAP VAN GELDER**

8 november 1951    15 augustus 1996

Amstelveen: M. van Gelder-van Loon
             Dick en Marijke van Gelder
             Suzan, Karlijn en Joost
             Jan en Monica van Gelder

Aalsmeer: Ria en Sjaak van Kampen
         Robert, Jaap en Jan-Willem

Amsterdam: Mohamed Touzani

Correspondentieadres:
M. van Gelder-van Loon
Kerkstraat 224
1013 HV Amstelveen

De crematie zal plaatsvinden op
maandag 19 augustus 1996 om 12.30 uur
in het Crematorium Noorderveld, Ookmeerweg 275
te Amsterdam.
Na afloop gelegenheid tot condoleren.

Jaap hield veel van bloemen

| | |
|---|---|
| de verjaardag | het correspondentieadres |
| namens | de crematie |
| vieren | plaatsvinden |
| verdrietig | de afloop |
| de zwager | de gelegenheid |

### *Feliciteren, condoleren*

**gefeliciteerd**     Lieve Liesbeth, gefeliciteerd met je verjaardag namens de hele familie.

Opa, van harte gefeliciteerd.

Hartelijk gefeliciteerd!

**gecondoleerd**     Gecondoleerd met het overlijden van je vriend.

## D     4  Privacy

Sanjib Chowdhury is een Indiase antropoloog die onderzoek doet in Nederland. Ruim een jaar heeft hij gewerkt in een groot bejaardenhuis in Amsterdam. We spreken met hem over zijn ervaringen.

**Sandjib Chowdhury**

| | |
|---|---|
| 5   *interviewer* | Jij doet onderzoek onder bejaarden. Wat onderzoek je? |
| *Sanjib Chowdhury* | Ik ben bijzonder geïnteresseerd in het begrip 'privacy'. In jullie cultuur willen mensen veel persoonlijke vrijheid en veel ruimte voor zichzelf scheppen. Iedereen wil het liefst onafhankelijk zijn van zijn familie, zijn kinderen, zijn |
| 10 | buren, enzovoort. Ik probeer uit te zoeken of dat problemen geeft bij het ouder worden. |
| *interviewer* | Mm. En hoe doe je dat? |
| *Sanjib Chowdhury* | Ik werkte een tijdje gewoon mee in een bejaardentehuis, moest mensen wassen en eten brengen. En intussen keek |
| 15 | ik goed rond. |
| *interviewer* | Dat was zeker hard werken? |
| *Sanjib Chowdhury* | Ja, ja, maar dat was niet erg. |
| *interviewer* | Je moest zeker wel wennen? |
| *Sanjib Chowdhury* | Ja, vreselijk. Wassen bijvoorbeeld deed ik eerst op de Indiase manier: |
| 20 | natmaken, inzepen en dan afdrogen. De mevrouw die ik waste, vroeg boos: 'Vind jij mij zo vies?' Maar toen ik vertelde waarom ik haar zo waste, zei ze direct: 'O, nou begrijp ik het'. |
| *interviewer* | Mm. Wat voor dingen zijn er uit je onderzoek gekomen? |
| *Sanjib Chowdhury* | Alle bejaarden in het bejaardentehuis waar ik werkte, hadden een eigen |
| 25 | kamer. Het bleek dat ze 's morgens naar de koffiekamer gingen om koffie te drinken en om andere mensen te ontmoeten. Als ze gingen wandelen, of als |

ze een tochtje maakten met een bus, gingen ze liever met zijn tweeën dan
alleen. Maar ik ontdekte dat 's avonds iedereen op zijn eigen kamer
televisie zat te kijken. De eigen kamer was de enige eigen plek. Daar kwam
30  niemand op bezoek, behalve de kinderen, als ze die hadden.

| *interviewer* | Kwamen de kinderen vaak op bezoek? |
| *Sanjib Chowdhury* | De meeste kinderen kwamen niet meer dan één keer in de maand, liefst op |

*Sanjib Chowdhury*  De meeste kinderen kwamen niet meer dan één keer in de maand, liefst op
zondag. En dan bleven ze maar een uurtje. Er waren ook kinderen die nooit
kwamen. Ik kan je verzekeren dat dat voor iemand die uit India komt niet
35  te begrijpen is.

*interviewer*  Klaagden de bejaarden daar over?

*Sanjib Chowdhury*  Nou, tegen mij zeiden ze wel vaak dat ze hun kleinkinderen zo graag meer
wilden zien. Je zag hun blik steeds maar weer naar die foto's gaan. Dat
vond ik zo triest. Sommigen gingen wel eens bij hun kinderen logeren.
40  Maar ze zeiden ook liever niet bij hun kinderen in huis te willen wonen. Ze
wilden niet afhankelijk zijn. Het heeft acht maanden geduurd voor ik me
realiseerde dat oudere mensen in Nederland echt liever niet bij hun
kinderen willen wonen. In het begin dacht ik: 'Dat geloof ik niet!'

Naar: *Onze Wereld*, december 1988.

| de privacy | de cultuur | meewerken | natmaken | de koffiekamer | triest |
| de antropoloog | persoonlijk | wassen | inzepen | de tocht | logeren |
| het bejaardenhuis | scheppen | intussen | afdrogen | de plek | |
| het begrip | onafhankelijk | rondkijken | vies | klagen (over) | |

## Weergeven wat iemand zegt

**Je kunt op drie manieren weergeven wat iemand zegt:**

*met de directe rede*     De mevrouw die ik waste vroeg boos: 'Vind je me zo vies?'
Maar toen ik haar vertelde waarom ik haar zo waste,
zei ze direct: 'O, nou begrijp ik het'.

*met de indirecte rede*     Nou, tegen mij zeiden ze wel vaak dat ze hun
kleinkinderen zo graag meer wilden zien.

Ze zei dat ze het begreep.

*met te + infinitief*     Maar ze zeiden ook liever niet bij hun kinderen in huis
te willen wonen.

Ze zei het te begrijpen.

**E     5   Wie alleen loopt, raakt de weg kwijt**

Wie alleen loopt, raakt de weg kwijt,
alleen uit de gemeenschap
komt de wijsheid.(...)
Eén hand alleen kan geen touw
5   om een bundel knopen.
Wie alleen loopt, raakt de weg kwijt.
Wie dan valt,
heeft niemand om haar op te helpen.
Wie dan schreeuwt,
10   heeft niemand die haar hoort.
Wie alleen loopt,
gaat zwaar gebukt onder haar last,
niemand deelt haar vreugde of verdriet.
Wie alleen loopt, raakt de weg kwijt.
15   Haar kola eet ze alleen.
Ze heeft twee voeten, ze heeft alleen maar
twee armen,
ze heeft maar twee ogen.
In de gemeenschap
20   heeft ieder duizenden handen,
heeft ieder duizenden voeten,
loopt niemand ooit alleen.

*Chansons populaires Bamilike*

Uit: Wie alleen loopt raakt de weg kwijt, BIJEEN-*publikatie* 1987.

# E   [icon]  6  Vriendschap

Als kind had ik een vriend waarmee ik alles deed,
als hij begon te vechten, dan vocht ik met hem mee.
Als ik in het water sprong, dook hij er achteraan,
een mooiere vriendschap kon er in mijn ogen niet bestaan.
5  Totdat hij verhuisde naar een andere stad,
'k heb als ik het goed heb nog één kaart van hem gehad.

   Eén keer trek je de conclusie:
   vriendschap is een illusie.
   Vriendschap is een droom,
10     een pakketje schroot met een dun laagje chroom.

Ik kreeg toen een vriendin waarmee ik alles deed,
als zij begon te zoenen dan vree ik met haar mee.
Als ik begon te janken kwam ze naast me staan;
een mooiere vriendschap kon er in m'n ogen niet bestaan.

15  Tot het moment dat ze spontaan mijn naam vergat.
En bleek dat ze een ander vriendje had.

   Eén keer trek je de conclusie:
   vriendschap is een illusie.
   Vriendschap is een droom,
20     een pakketje schroot met een dun laagje chroom.

Als het gaat om geld,
als het gaat om vrouwen,
als het gaat om alles wat je liefhebt,
wie kun je dan vertrouwen?

25     Eén keer trek je de conclusie:
   vriendschap is een illusie.
   Vriendschap is een droom,
   een pakketje schroot met een dun laagje chroom.

*Het Goede Doel*

# 6 Kunt u me helpen?

## A       1   Bij de politie

Veel schieten en snelle auto's. Dat is de politie als we de
televisie moeten geloven. Maar is dat ook wel zo? We vragen
het Gazi Aydogan. Gazi werkt drie jaar bij de politie.

|  |  |
|---|---|
| *interviewer* | Is de politie net zo spectaculair als het er op de televisie |
| 5 | uitziet, Gazi? |
| *Gazi Aydogan* | Nou, gelukkig niet. Dat is veel te gestresst. Nee hoor, ons |
|  | werk bestaat vooral uit hulp verlenen en de orde handhaven. |
|  | Ik ken zelfs niemand die geschoten heeft. |
| *interviewer* | Wilde je graag bij de politie? |
| *Gazi Aydogan* | Jazeker. De eerste keer dat ik bij de politie solliciteerde werd |
| 10 | ik niet toegelaten omdat ik te dik was. Ik was vijftien kilo te |
|  | zwaar. Ze zeiden: 'Een politieagent in opleiding moet snel |
|  | kunnen handelen. Die mag niet zo zwaar zijn'. Nou, ik kon |
|  | wel huilen. Ik wou zo graag bij de politie. Dus ik ben minder |
|  | gaan eten. Ik heb toen een jaar gewerkt en ging lopend naar |
| 15 | mijn werk. Bijna acht kilometer per dag. Daarna, na bijna |
|  | een jaar kon ik wel naar de politieschool. Daar was ik heel |
|  | blij mee. |
| *interviewer* | Hoe ziet een dag bij de politie eruit? |
| *Gazi Aydogan* | Nou, dat is heel verschillend hé. Dat vind ik nou zo fijn aan |
| 20 | dit werk. Gisteren had ik bijvoorbeeld nachtdienst. Er waren |
|  | die nacht geen meldingen tot 's ochtends kwart voor twee. |
|  | Toen kwam er een melding van een winkel in het centrum. |
|  | Bij de winkel zagen we dat het alarm inderdaad afging, maar |
|  | er was helemaal niet ingebroken! Waarschijnlijk was het |
| 25 | alarm verkeerd ingesteld. Tien |
|  | minuten later was er een ruzie |
|  | in een café. Toen wij daar aan |
|  | kwamen, stond er een man |
|  | met een mes. Nou, dan moet |
| 30 | je echt heel snel zijn, anders is |
|  | het te laat. Gelukkig had de |
|  | man zoveel gedronken dat hij |
|  | bijna geen kracht meer had om |
|  | op zijn benen te staan. |
| 35 *interviewer* | Is het een nadeel dat je Turk |
|  | bent? Wordt er bijvoorbeeld |
|  | extra kritisch naar je gekeken? |

|            |                                          |
|-----------:|------------------------------------------|
| *Gazi Aydogan* | In de opleiding wel. Ik had toen     |
| 40         | het gevoel dat ik extra mijn best        |
|            | moest doen. Maar nu vind ik              |
|            | het wel handig dat ik Turk ben.          |
| *interviewer* | Kun je daar een voorbeeld van         |
|            | geven?                                   |
| 45   *Gazi Aydogan* | Eh, even denken hoor. Ja, toen   |
|            | ik pas in Den Haag werkte                |
|            | zaten we achter een junk aan.            |
|            | Hij ging net voor ons een deur           |
|            | binnen en deed de deur dicht.            |
| 50         | Er stonden een paar Turken               |
|            | buiten. Ik vroeg in het Turks:           |
|            | 'Waar is de sleutel van die              |
|            | deur?' Er werd onmiddellijk              |
|            | gereageerd: 'Hé, dat is een              |
| 55         | Turk. Doe die deur open!' Met            |
|            | Turkse mensen heb ik echt                |
|            | goede ervaringen. Met andere             |

mensen ook trouwens. Dat ligt ook een beetje aan mezelf,
denk ik. Je moet niet de straat op gaan met het idee van 'Ik ga
met veel gezag die stad eens even veilig maken, met mijn
uniform aan en die pet op', want zo is het dus helemaal niet.

|            |                                          |
|-----------:|------------------------------------------|
| *interviewer* | Geef je veel bekeuringen?             |
| *Gazi Aydogan* | Nou, dat hangt er van af. Als iemand te hard rijdt, dan wil ik |
|            | wel eens krachtig optreden. Maar voor rijden zonder riemen |
| 65         | doe ik dat niet altijd, hoewel dat wettelijk verplicht is. |
| *interviewer* | Bedankt voor het interview.           |
| *Gazi Aydogan* | Graag gedaan.                        |

Naar: *Reflector*, special 'racisme', mei 1994.

| | | |
|---|---|---|
| schieten | fijn | het gezag |
| stressen | de melding | het uniform |
| verlenen | het alarm | de pet |
| handhaven | afgaan | veilig |
| de politieagent | inbreken | de bekeuring |
| handelen | instellen | krachtig |
| huilen | achter iemand | wettelijk |
| lopend | aanzitten | verplichten |
| de politieschool | dichtdoen | |
| de nachtdienst | de sleutel | |

## *Blijheid*

| | |
|---|---|
| **Ik ben blij (dat/met)** | Ik ben blij dat ik die baan gekregen heb. |
| | Daarna, na bijna een jaar, kon ik wel naar de politieschool. Daar was ik heel blij mee. |
| **Ik vind het fijn (dat)** | – Hoe ziet een dag bij de politie eruit?<br>– Nou, dat is heel verschillend hè. Dat vind ik nou zo fijn aan dit werk. |
| **Fijn ...** | – Hallo Roel.<br>– Ha, Peter. Kom binnen. Fijn dat je gekomen bent. |
| | – Roel heeft eindelijk een eigen huis.<br>– Wat fijn voor hem! |
| **Te gek ...** | – Hé, ik heb die baan in Utrecht gekregen.<br>– O, te gek man! |
| | – Ik vind het echt te gek dat je me hebt geholpen.<br>– Daar zijn we toch vrienden voor? |

**B**    **2**   ## 06-11 Alleen als seconden tellen

Sinds enige tijd is er een landelijk alarmnummer in Nederland: 06-11. Wanneer moet men dit nummer bellen? Alleen als het een echt noodgeval betreft, dat wil zeggen:
5   situaties waarin seconden van levensbelang zijn. Als het gaat om bijvoorbeeld een ongeluk met alleen blikschade, dan belt men het gewone nummer van de politie. Maar als men iemand een poging tot inbraak ziet doen of er
10   is brand, dan moet het landelijke alarmnummer gebeld worden.
Het voordeel van zo'n centraal nummer is dat men direct doorverbonden wordt met de instelling waarvan de hulp nodig is: de politie,
15   de brandweer of de ambulance. Vroeger moest eerst het nummer van de politie gebeld worden

(soms ook nog opgezocht) en dan werd het hele verhaal uitgelegd en die gaf de boodschap dan weer door aan de desbetreffende dienst. Daardoor ging veel tijd verloren.

Naar: *Echo Stadsblad*, 7 maart 1990.

## Wat nu te doen bij alarm?

**1**  Bel 06-11.
**2**  Vertel waar u hulp wenst.
**3**  Vertel van wie u hulp wilt,
     **dus van de politie, van de brandweer of van de ambulance.**
**4**  U wordt doorverbonden met de desbetreffende dienst.
     U vertelt wat er aan de hand is en waar.

## 06-11: onthoud dit nummer!

**ALARM**
**06-11**
**ALS ELKE SECONDE TELT**

| tellen | de blikschade | de ambulance | verloren | onthouden |
|---|---|---|---|---|
| het noodgeval | de poging | opzoeken | drukken | |
| het levensbelang | de inbraak | doorgeven | vervolgens | |

## *Het onbepaald voornaamwoord: men*

**Men = mensen in het algemeen.**
Men zegt dat er regen komt.
– Lopen jullie nou de hele dag te schieten?
– Nee, dat denkt men altijd. Maar dat is niet zo.

Als het gaat om bijvoorbeeld een ongeluk met alleen blikschade, dan belt men het gewone nummer van de politie. Maar als men iemand een poging tot inbraak ziet doen of er is brand, dan moet het landelijk alarmnummer gebeld worden.

*Let op:* men (alleen als onderwerp) + enkelvoud
Men zegt dat er regen komt.
In Nederland eet men alleen 's avonds warm.

## C  3 Snel als een raket

Hier volgt een gesprek met Herman Eskens, tweeëntwintig
jaar oud en vierdejaars student rechten. Hij werkt naast zijn
studie voor een koeriersdienst.

*interviewer*  Wat doet een koerier eigenlijk?
5  *Herman Eskens*  Eigenlijk is het heel eenvoudig. Er moeten spulletjes van A
naar B en een koeriersdienst doet dat. Dat kost wel geld
natuurlijk. Ze roepen dan via de autotelefoon: 'Rijd nog even
snel daarheen, snel als een raket'.
*interviewer*  En dat doe je dan?
10  *Herman Eskens*  Ja. Koeriers krijgen nooit een bon voor fout parkeren, dus ik
ga altijd vóór het bedrijf op de stoep staan. Dan snel naar
binnen, tekenen voor ontvangst en weg ben ik.
*interviewer*  Wat vervoer je meestal?
*Herman Eskens*  Meestal vervoer ik brieven of dozen maar soms zijn het ook hele
15  rare dingen. Pas had ik bijvoorbeeld nog een hele grote plant.
Dat gaat dan per koerier omdat zoiets niet zomaar met de post
mee kan. En ik moest laatst nog een krat koud bier van het ene
kantoor naar het andere brengen. Kijk, ik vind het best hoor.
Wij rijden wel. Maar dan moet het ook nog supersnel, want 'de
20  flesjes mogen niet warm worden'. Alles moet vlug, zelfs een
kratje bier. De hele samenleving is nou eenmaal haastig. Niets
mag meer langzaam, tijd is geld. Iedereen loopt te rennen.
*interviewer*  Zeg, je rijdt zeker vaak harder dan 120?

|  |  |
|---|---|
| *Herman Eskens* | Ja, ik rijd regelmatig 150 kilometer per uur, zeker op lange |
| 25 | afstanden. Ik kijk dan wel voortdurend in mijn spiegel: |
|  | 'Komt er geen politie achter me aan?' |
| *interviewer* | Heb je wel eens een ongeluk gehad? |
| *Herman Eskens* | Nee, nog nooit. We zijn geen wegpiraten trouwens. Dat |
|  | denken veel mensen. Je ziet ze soms ook angstig kijken. Ik |
| 30 | moet wel doorrijden natuurlijk, maar het is eigenlijk meer |
|  | een kwestie van slim rijden dan van scheuren. Op tijd |
|  | remmen en goed uitkijken. |
| *interviewer* | Wat vind je het leukste van dit werk? |
| *Herman Eskens* | In de auto heb je met niks en niemand wat te maken. Ik rijd |
| 35 | lekker over de weg, radiootje aan. Ik heb in mijn wagen gewoon |
|  | mijn eigen wereldje, daar voel ik me vrij. Dan zit ik te genieten. |
| *interviewer* | Betaalt het goed? |
| *Herman Eskens* | Ja, vind ik wel: veertien gulden per uur ongeveer, nou, dat is |
|  | toch een aardig bedrag voor mijn leeftijd. Ik houd alleen |
| 40 | weinig tijd over voor mijn studie: van half vier tot een uurtje |
|  | of tien zit ik namelijk op de weg. Daarna moet ik nog eten. |
|  | Ja, en als je dan nog je vrienden wilt zien, dan begrijp je dat |
|  | ik niet zoveel studeer. Ik wil wel minder werken, maar ik heb |
|  | geen beurs; daarom moet ik dit werk wel blijven doen. |

Naar: *Ad Valvas*, 11 oktober 1990.

| | | | | |
|---|---|---|---|---|
| de raket | fout | zomaar | de spiegel | scheuren |
| de koerier | parkeren | supersnel | de wegpiraat | remmen |
| vierdejaars | de stoep | haastig | angstig | de wagen |
| de koeriersdienst | tekenen | rennen | doorrijden | het bedrag |
| de autotelefoon | de ontvangst | de afstand | de kwestie | overhouden |
| daarheen | vervoeren | voortdurend | slim | de beurs |

## *Snelheid*

| | |
|---|---|
| **snel** | Rijd nog even snel daarheen, snel als een raket. |
| **vlug** | Alles moet vlug, zelfs een kratje bier. |
| **hard** | Zeg, je rijdt zeker vaak harder dan 120 kilometer? |
| **langzaam** | Niets mag meer langzaam, tijd is geld. |
| **km/u** | – Zeg, je rijdt zeker vaak harder dan 120 kilometer?<br>– Ja, ik rijd regelmatig 150 kilometer per uur. |

## Zitten, staan, liggen, lopen + te + infinitief

**Zitten, staan, liggen en lopen geven als hulpwerkwoord meestal de houding van het onderwerp aan, terwijl de handeling wordt uitgedrukt door de infinitief.**

**liggen**   Voor het slapen lig ik graag nog wat te lezen in bed.

**staan**    Er stonden veel mensen op straat te kijken naar het ongeluk.

**zitten**   Ik heb in mijn wagen gewoon mijn eigen wereldje, daar voel ik me vrij. Dan zit ik te genieten.

**lopen**    Alles moet vlug, zelfs een kratje bier. De hele samenleving is nou eenmaal haastig. Niets mag meer langzaam, tijd is geld. Iedereen loopt te rennen.

## C   4   Zitten en staan

Wilt u zitten, ik kan staan!
Ik wil zitten, kunt u staan?
U kunt staan, ik wil zitten.
Ik wil staan, kunt u zitten?
U wilt staan, ik kan zitten.
Ik sta te willen, u zit te kunnen.
Ik zit te kunnen, u staat te willen.
U zit te willen, ik sta te kunnen.
U staat te kunnen, ik zit te willen.

*H.J.A. Hofland*
Uit: NRC Handelsblad

## D 5 Vrijwilligerswerk werkt

### Wat doet de vrijwilligerscentrale?

Wat doet de vrijwilligerscentrale voor u? Door de centrale worden
mensen die vrijwilligerswerk zoeken in contact gebracht met organisaties
die vrijwilligers nodig hebben. Bij de centrale kunt u ook terecht voor
5   informatie over vrijwilligerswerk.

### Wie zoekt de centrale?

Als u iemand bent die het leuk vindt met andere mensen te werken, die
werkervaring wil opdoen of contacten met anderen zoekt, dan kunt u
bellen of langskomen bij de centrale. Wellicht heeft u nog andere
10   redenen om vrijwilligerswerk te doen. Ook dan nodigen we u graag uit.

### Wat voor werk biedt de centrale aan?

- klusjes in huis;
- administratieve taken;
15   - op bezoek gaan bij
  ouderen;
- helpen bij het uitgeven van
  een buurtkrant;
- cursussen begeleiden op
20   allerlei gebied;
- helpen in een
  peuterspeelzaal;
- nog veel meer.

**Vrijwilligers werken in een polikliniek in Rotterdam**

### Hoe werkt de centrale?

25   Door middel van het invullen van een formulier meldt een organisatie
een vacature. Deze wordt in een speciale map (*'Vacatures'*) opgenomen.
Mensen die vrijwilligerswerk zoeken, kunnen langskomen bij de centrale.
Zij zoeken alleen of samen met een medewerker van de centrale in de
mappen naar passend werk. Bij het zoeken naar dit werk wordt rekening
30   gehouden met de wensen van de vrijwilliger en de eisen van de
organisaties. Tevens wordt de vrijwilliger gevraagd om naam, adres en
andere belangrijke gegevens op een formulier in te vullen en aan te geven
wat voor soort werk hij zoekt of waar hij de meeste aanleg voor heeft.
Wordt er een passende vacature gevonden, dan schrijft de vrijwilliger de
35   naam van de organisatie en het telefoonnummer op. Hij neemt daarna
zelf contact op met de organisatie om verdere afspraken te maken.

Belangstelling? Door de meeste vrijwilligerscentrales wordt een folder
uitgegeven met meer informatie. Wilt u die aanvragen, kijk dan in de
telefoongids voor het adres of telefoonnummer. Bij de meeste
40   bibliotheken ligt deze folder ook.

Naar: *Vrijwilligerswerk werkt.* Folder van de Leidse Welzijnsorganisatie en de Leidse Vrijwilligerscentrale, 1995.

| | | | |
|---|---|---|---|
| het vrijwilligerswerk | opdoen | het gebied | de eis |
| de vrijwilligerscentrale | wellicht | de peuterspeelzaal | tevens |
| in contact brengen met | de taak | melden | het gegeven |
| de vrijwilliger | uitgeven | de map | de aanleg |
| de centrale | de buurtkrant | aankondigen | |
| de werkervaring | begeleiden | de wens | |

## *Passieve zinnen (1)*

**We gebruiken de passieve vorm als we nadruk willen leggen op:**
**– de handeling zelf**
**– de persoon die de handeling ondergaat**

Er werd veel gepraat tijdens de voorstelling.
Andrea wordt morgen geopereerd.

**De handelende persoon wordt vaak weggelaten, bijvoorbeeld omdat**
**die persoon niet bekend is of omdat die persoon niet belangrijk is:**

De school wordt op dit moment verbouwd.
Wordt er ook koffie gedronken in China?

**Als de handelende persoon wél genoemd wordt,**
**gebruiken we '*door + ...*'**

Er wordt nog steeds door veel mensen gerookt.
Door de centrale worden mensen in contact gebracht met
organisaties die vrijwilligers nodig hebben.

*Let op:* worden + voltooid deelwoord (+ door + handelende persoon)

Tevens wordt de vrijwilliger gevraagd om naam, adres en andere
belangrijke gegevens op een formulier in te vullen.
Door de meeste vrijwilligerscentrales wordt een folder uitgegeven
over de centrales en het werk.
Rabin werd gedood door een Israëliër.

## E      6   Dag man achter het loket

Dames en heren, ik ga u een heel gek
verhaal vertellen. Het is een verhaal van
een kapper die binnenkomt in een
postkantoor en die tegen de man achter
5  het loket zegt: 'Dag man achter het
loket!' Begint gek, hè?... 'Dag man
achter het loket, mag ik van u een
postzegel van een kwartje alstublieft?'
'Wilt u het bedrag besteden aan één
10  zegel of wilt u verschillende leuke
zegeltjes afnemen voor hetzelfde
bedrag?'
'Nou meneer, dat kan me niet
verdommen, als ik maar een zegel heb
15  van een kwartje.'
'Nee, ik zeg het namelijk hierom, we
hebben de laatste tijd van die beeldige
zegels binnengekregen. Er is een nieuwe
zegel uit van twaalf cent, die is
20  petrolkleurig en daar komt hare
majesteit zo snoezig op uit. Dan zou ik

zeggen, neemt u er een bij van acht cent,
die is auberginekleurig. Ik geef toe, het is
een gewaagde combinatie, maar een
25  verrassende combinatie en dan hebben
we nog een heel gedistingeerde van vier,
die is bleu-royal en om het te
complementeren zou ik zeggen neemt u
er een bij van twee cent, die is gris-bleu
30  met een tikkeltje wit, voorstellende de
Afsluitdijk. Dan heeft u wel 26 cent
uitgegeven, u hebt het gauw
uitgerekend, maar ja, ik vind het voor de
ontvanger op zo'n witte envelop, weet u,
35  die kleurenvlekjes. Zo feestelijk!'
'Meneer, doe me een lol, geef me een
postzegel van een kwartje. Ik heb verder
niks nodig uit uw modewinkeltje.'
'Mag ik u even iets vragen?' Hebt u
40  eigenlijk een girorekening?'
'Nee meneer, ik heb geen girorekening!'
'Als u een girorekening had, hoeft u

nooit geld bij u te hebben. U schrijft een
chequetje uit, u schrijft een girootje uit,
45  u doet dat in de bekende zalmkleurige
envelop, saumon in het Frans. Dat doet
u dan in de vuurrode bus en wij doen de
rest. Nou ja, wij... de jongens van de PTT
dan.'
50  'Meneer, doe me een lol, geef me een
postzegel van een kwartje. En gauw of er
vallen klappen.'
'Okido...! Hebt u een spaarbankboekje?'
'Nee meneer, ik heb geen
55  spaarbankboekje!'
'Jammer, want we geven vanaf 1 januari
1965 vier procent rente.'
'Kan me niets verdommen, ik wil een
postzegel van een kwartje. En gauw
60  meneer of er wordt hier iemand
vermoord.'
'Okido...! Nog een vraag: Hebt u
telefoon?'
'Ja meneer, ik heb telefoon, is het nou
65  uit?'
'Mag ik u dan even attent maken op de
nummers die u gratis en net zo vaak
draaien kunt als u wilt. Daar is: 000 weet
u wel, voor het aanvragen van interlokale
70  gesprekken; 0010 voor het aanvragen
van internationale gesprekken binnen
Europa niet vanuit de cellen; 0016 voor
het aanvragen van internationale
gesprekken buiten Europa niet vanuit de
75  cellen; 008 voor inlichtingen over het
automatisch verkeer; 0018 voor
inlichtingen over het buitenlands
automatisch verkeer; 003 voor het
weerbericht; 002 voor het tijdsein en 009
80  voor het opgeven van een
telegrammetje.'
'Meneer, potverdomme nog an toe, roep
de chef..! ik wil niks met u te maken

hebben. De chef, anders roep ik hem
85  zelf! CHEF!'
De chef: 'Wat is hier aan de hand?'
'Meneer, ik vraag deze man een
postzegel van een kwartje en hij verdomt
het gewoon om het te geven. Waarom
90  doet die man dat?'
'Ik zal het eens even voor u informeren!
Is het waar wat deze heer zegt, Van
Deudekom?'
'Ja meneer!' 'En waarom doe jij dat, Van
95  Deudekom?'
'Ik doe het expres, meneer!'
'En waarom doe jij het expres, Van
Deudekom?'
'Nou, die man is namelijk mijn kapper,
100  ziet u! Als ik bij hem binenkom en ik
zeg: Wilt u alleen maar mijn haar
knippen, dan zegt hij tegen mij altijd:
Wilt u lotion, wilt u tandpasta, wilt u
zeep, wilt u watten, wilt u eau de
105  cologne...'

*Wim Sonneveld*

Uit: *U wordt zo gemolken.* Conférences.
Verzameld door Kick van der Veer.
Amsterdam: Nijgh & Van Ditmar 1994.

# 7 Een klein stukje maar

# A    1   Prinsjesdag

*Fragment 1*   Twaalf uur, radionieuwsdienst ANP. Over ongeveer een kwartier zal
koningin Beatrix in de Ridderzaal in Den Haag de troonrede voorlezen,
waarin het beleid van de regering voor het komende jaar wordt vermeld.
Dat gebeurt tijdens een verenigde vergadering van de Eerste en Tweede
5   Kamer, de Staten-Generaal.

| de prinsjesdag | het beleid |
|---|---|
| de troonrede | vermelden |

*Fragment 2*   Het paard Vladimir is, zou ik zeggen, bijna in zicht ... Wat is het paard
Vladimir? Dat is het paard dat voor de Gouden Koets loopt. De koets
waarmee de koningin elk jaar op de derde dinsdag in september van
paleis Noordeinde naar het Binnenhof rijdt. En als ik nog even door mag
10   gaan ..., het ziet er hier prachtig uit. De meeste bloemen in de
Ridderzaal zijn dit jaar geel, maar bij de troon is alles in witte rozen
uitgevoerd. En zoals altijd is men hier weer netjes aangekleed. Voor de
heren het nette pak en voor de dames de nette japon of pantalon. Zo
dadelijk zal de koets hier de hoek om komen, maar nog steeds zie ik niks.
15   De Gouden Koets is nu wel bijna in zicht, maar ik kan nog even

| het paard | waarmee | de roos | aankleden | de japon | koninklijk |
|---|---|---|---|---|---|
| het zicht | het paleis | uitvoeren | net | de pantalon | de prins |
| de koets | de troon | netjes | het pak | dadelijk | de prinses |

doorgaan. De koninklijke familie, dat is koningin Beatrix, prins Claus, de
Prins van Oranje en zijn broers, de prinsen Johan Friso en Constantijn,
en bovendien prinses Margriet en de heer Van Vollenhoven.
En daar komt de Gouden Koets al. Het Wilhelmus nu …

*Fragment 3*

20  Leden van de Staten-Generaal,
… Ook de internationale ontwikkelingen
die aanleiding geven tot hoop en tot
vrees zullen belangrijke beslissingen van
u blijven vragen. Van harte wens ik u
25  toe dat Gods zegen op uw werk rust.

Lang leve de Koningin!
Hoera! Hoera! Hoera!

| | |
|---|---|
| de aanleiding | de god |
| de hoop | de zegen |
| de vrees | rusten |
| toewensen | hoera |
| God | |

*Fragment 4*   We gaan nu over naar onze verslaggever op het Binnenhof.

| | |
|---|---|
| *verslaggever* | Op een wat koud Binnenhof sta ik achter een verlaten Koets, terwijl de koningin |
| 30 | de troonrede voorleest. Ondanks de kou is er veel publiek. Goedemiddag. |
| *meneer* | Dag, mevrouw. |
| *verslaggever* | Waar komt u vandaan? |
| *meneer* | Uit Den Haag. |
| *verslaggever* | Dus u hoefde niet ver te reizen? |
| 35   *meneer* | Nee, nee, een klein stukje maar. |
| *verslaggever* | Moeilijk geweest om hier te komen? |
| *meneer* | Nee, ging wel, het ging wel. |
| *verslaggever* | Waarvoor komt u hier nou?  Voor de troonrede, voor het beleid van de regering |
| | of eh … om gewoon deze gouden kermis te zien? |
| 40   *meneer* | Nou, eigenlijk om te horen waar het geld blijft. |
| *verslaggever* | Om te horen wat …? |
| *meneer* | … waar het geld blijft. |

| | |
|---|---|
| *verslaggever* | Jaja. Wordt u eh … wat wijzer uit de troonrede? |
| *meneer* | Enigszins wel ja. Enigszins wel ja. |

45

Naar: NOS-*radio*, 18 september 1990.

| | | | |
|---|---|---|---|
| ondanks | het publiek | de kermis | enigszins |
| de kou | waarvoor | wijs | |

---

### *Er + telwoord*

**'Er' kan een zelfstandig naamwoord vervangen, als het zelfstandig naamwoord in combinatie met een telwoord voorkomt.**

– Hoeveel kinderen hebben John en Mary?
– Ze hebben er vijf (= ze hebben vijf kinderen).

– Heb jij al een computer?
– Nee, ik heb er nog geen (= ik heb nog geen computer)

– Waren er veel mensen?
– Ja, er waren er heel veel (= er waren heel veel mensen)

---

**B**          **2   Mag het een uurtje meer zijn?**

Nergens in Europa zijn de winkels zo vaak dicht als in Nederland. In de meeste Europese landen zijn de regels voor de winkeltijden inmiddels minder streng geworden of zelfs verdwenen. De
5  nationale politiek gaf de Nederlandse winkeliers er de laatste jaren ook een aantal uren bij, maar, zoals één van de winkeliers zei, 'daar krijg je niet meer klanten door.'

**Boodschappen op zondag**
10  Boodschappen doen op zondag of 's avonds naar de kapper: met de huidige winkeltijden in Nederland is dat nog niet overal mogelijk. Wel kun je naar een 'avondwinkel' gaan, maar het verschil in prijs tussen de producten van een
15  avondwinkel en die van een gewone winkel is vaak groot. Het lijkt een typisch Nederlands

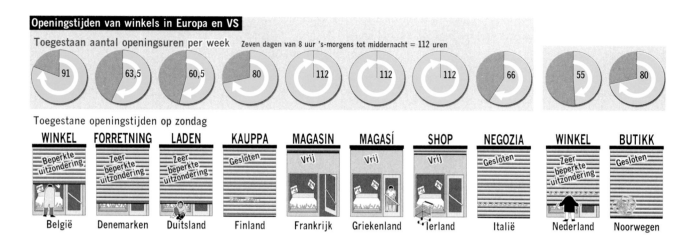

**Openingstijden van winkels in Europa en VS**

Toegestaan aantal openingsuren per week    Zeven dagen van 8 uur 's-morgens tot middernacht = 112 uren

91    63,5    60,5    80    112    112    112    66    55    80

Toegestane openingstijden op zondag

| WINKEL | FORRETNING | LADEN | KAUPPA | MAGASIN | MAGASÍ | SHOP | NEGOZIA | WINKEL | BUTIKK |
|---|---|---|---|---|---|---|---|---|---|
| Beperkte uitzondering | Zeer beperkte uitzondering | Zeer beperkte uitzondering | Gesloten | Vrij | Vrij | Vrij | Gesloten | Zeer beperkte uitzondering | Gesloten |
| België | Denemarken | Duitsland | Finland | Frankrijk | Griekenland | Ierland | Italië | Nederland | Noorwegen |

probleem, want in veel landen van Europa is de situatie anders. In
België mogen de winkels van 's morgens vijf uur tot 's avonds acht uur
open zijn (en op vrijdag tot negen uur), met een totaal van 91 uur per
20    week. Landen als Spanje, Griekenland of Zweden kennen een totaal
van 112 uur. Winkels die langer open zijn, sluiten daarmee aan bij de
wensen van het publiek, zo is uit onderzoek gebleken. Een eis van het
publiek is wel dat de winkeliers hun prijzen niet verhogen als ze langer
open zijn.

25

**Geen hoger loon**
Waarom zijn die regels in Nederland eigenlijk zo beperkt? In de eerste
plaats om de winkeliers te beschermen. 'Als we langer open zijn,
nemen onze kosten toe, zonder dat ons loon toeneemt. Hoe langer de
30    tijd dat je open bent, hoe langer de tijd die de klanten nemen,' aldus
Wandy Knaken, kapper bij *Erna's Restyle* in Arnhem. Vooral kleine
winkeliers zijn hier bang voor. In de tweede plaats zijn de vakbonden
fel tegen ruimere winkeltijden. Werknemers moeten dan immers
flexibeler gaan werken. De vakbonden steunen dus de winkeliers in
hun standpunt. Ten derde is Nederland een land waar protestantse en
35    katholieke elementen oorspronkelijk een belangrijke plaats in het
maatschappelijk en economisch leven innamen. Winkels op zondag
open? Daar werd niet over gepraat. 'Op zondag ga je naar de kerk,'
was de mening van velen. Inmiddels is er veel veranderd.

40    **Broodje Franse kaas**
De bedoeling van de minister is de regels in de toekomst nog ruimer te

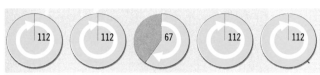

081094 © de Volkskrant · Erik d'Ailly

| LOJA | TIENDA | SHOP | BUTIK | MALL |
|------|--------|------|-------|------|
| Vrij | Vrij | Beperkte mogelijkheden | Vrij | Vrij |
| Portugal | Spanje | Ver. Koninkrijk | Zweden | VS |

maken. Hij blijft hiervoor overleg voeren met vakbonden en winkeliers. Het is de vraag of

45  alle problemen opgelost kunnen worden. Voorlopig kunnen we 's zondags nog niet overal boodschappen doen. Of 's avonds om elf uur even een lekker broodje Franse kaas

50  kopen, behalve als er een avondwinkel in de buurt is...

Naar: *de Volkskrant*, 8 oktober 1994.

| | | | | |
|---|---|---|---|---|
| de winkeltijd | het verschil | beschermen | flexibel | maatschappelijk |
| nationaal | typisch | de kosten | oorspronkelijk | de bedoeling |
| de winkelier | aansluiten | het loon | protestants | het overleg |
| huidig | verhogen | de werknemer | katholiek | oplossen |
| de avondwinkel | beperkt | de vakbond | het element | voorlopig |

## *Doel*

**om ... te**

– Zeg, ik ga zo even naar huis om te eten.
– Okee. Hoe laat ben je weer terug?

Waarom zijn die regels in Nederland eigenlijk zo beperkt? In de eerste plaats zijn ze bedoeld om winkeliers te beschermen.

**de bedoeling is ...**

– Wat willen jullie met deze actie bereiken?
– De bedoeling is om meer mensen in de trein te krijgen.

De bedoeling van de minister is de regels in de toekomst ruimer te maken.

*Let op:* (om) + te + infinitief

Ik ga zo even naar huis om te eten.
Dus je gaat naar haar toe om het te vragen?
De bedoeling is (om) meer mensen in de trein te krijgen.
De bedoeling van de minister is (om) de regels in de toekomst ruimer te maken.

**B**     **3**   # Ik ben boos op Holland

de maan komt op

de zon komt op

de wolf is boos op de berg

de berg weet van niets

ik ben boos op Holland

*Halil Gür*   Holland heeft niets in de gaten

Uit: Halil Gür, *Wakker het*
*vuur niet aan.*
Uitgeverij De Geus,
Breda 1993.

| de maan | opkomen |
| de wolf | iets in de gaten hebben |
| de berg | |

**C**     🔲 **4**   # Gemeentepolitiek

Catja Bekendal is wethouder in Eedorp voor de PvdA. We
praten met haar over haar werk als wethouder.

*interviewer*   Catja, hoe lang ben je al wethouder?

*Catja Bekendal*   Eh, ruim een half jaar nu. Daarvoor was ik lid van de
5   gemeenteraad.

*interviewer*   Hoe komt het dat jouw partij nu 'regeert'?

*Catja Bekendal*   Je bedoelt hoe mijn partij in het College komt, want regeren
is het natuurlijk niet. Dat doet het kabinet in Den Haag. Bij
de gemeente heet dat besturen en dat wordt gedaan door de
10   wethouders en de burgemeester; die vormen samen het
college. Welke partij in het college komt, bepalen de kiezers
natuurlijk. Bij de laatste verkiezingen behaalde Dorpsbelang
de overwinning. Die gaat dan onderhandelen met de andere
partijen en is vrij om te kiezen met wie ze wil gaan
15   samenwerken. De partijen die een college vormen, moeten
wel op een meerderheid in de gemeenteraad steunen. Het
resultaat van de onderhandelingen was dat Dorpsbelang met
de PvdA en D66 is gaan samenwerken.

*interviewer*   Ik neem aan dat de burgemeester bij zulke onderhandelingen
20   ook een belangrijke rol speelt.

| | |
|---|---|
| *Catja Bekendal* | Nee, juist niet. De burgemeester wordt immers niet gekozen door de bevolking, maar benoemd door de koningin. |
| *interviewer* | Wat zijn nou de taken van een wethouder? |
| *Catja Bekendal* | Een wethouder bereidt samen met ambtenaren voorstellen |

25              voor. Die worden besproken in het college en als de
meerderheid van het college het met de voorstellen eens is,
gaan de voorstellen naar een commissie. Daarna beslist de
raad erover. Verder ben ik verantwoordelijk voor de
uitvoering van de plannen. Ik zal een voorbeeld geven. We

30              hebben in Eedorp plaats voor vijftien asielzoekers, verdeeld
over drie huizen. Dat aantal willen we uitbreiden tot twintig.
De voorstellen daarover zijn positief ontvangen en zullen
waarschijnlijk worden aangenomen.

        *interviewer*    Twintig. Is dat niet erg weinig?

35  *Catja Bekendal*    Nou, Eedorp is een kleine gemeente. 'Den Haag' wil vijftien
asielzoekers op 7500 inwoners, dus dat getal van twintig
klopt aardig.

|  | |
|---|---|
| *interviewer* | Zijn er verder nog belangrijke zaken die op dit moment spelen? |
| *Catja Bekendal* | Ja, de woningbouw. |
| 40    *interviewer* | Is er gebrek aan woningen in Eedorp? |
| *Catja Bekendal* | Nee, niet echt. Maar de huizen kunnen wel beter verdeeld worden. Op het ogenblik krijgen mensen van achttien jaar die samenwonen heel makkelijk een huis, terwijl alleenstaanden soms lang moeten wachten. |
| 45    *interviewer* | Goed, nu iets heel anders. Er zijn maar twee wethouders in Eedorp. Betekent dat niet dat je vaak moet 'optreden' bij de opening van een zwembad of zo? |
| *Catja Bekendal* | Nee, dat valt erg mee. Onze burgemeester vindt dat leuk, dus die doet dat meestal. |
| *interviewer* | Nog een laatste vraag: wat vind je het leuke van dit werk? |
| 50    *Catja Bekendal* | Nou, in de eerste plaats dat je een vinger in de pap hebt. Je kunt proberen iets te bereiken waar andere mensen iets aan hebben. Nou, en verder de contacten met al die verschillende groepen: mensen die je bij de bakker aanspreken of op het spreekuur komen, collega's, |
| 55 | burgemeesters van andere plaatsen, enfin, je begrijpt ... |
| *interviewer* | Bedankt voor dit interview. |
| *Catja Bekendal* | Graag gedaan. |

| | | | |
|---|---|---|---|
| regeren | steunen | de uitvoering | de alleenstaande |
| het college | de onderhandeling | de asielzoeker | de opening |
| het kabinet | een rol spelen | uitbreiden | het zwembad |
| besturen | de bevolking | positief | een vinger in de pap hebben |
| de kiezer | benoemen | ontvangen | de bakker |
| behalen | voorbereiden | het getal | |
| de overwinning | het voorstel | de woningbouw | |
| onderhandelen | de commissie | het gebrek | |

## Gemeente

– Catja, hoe lang ben je al wethouder?
– Ruim een half jaar nu. Daarvoor was ik lid van de gemeenteraad.

– Ik neem aan dat de burgemeester bij zulke onderhandelingen ook een belangrijke rol speelt?
– Nee, juist niet.

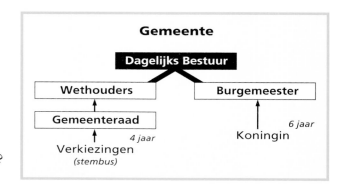

**D**     **5  Een kwestie van moraal**

Hoe staat het met de moraal van de gemiddelde
Nederlander? Stelt u zich eens voor: u heeft
boodschappen gedaan bij Albert Heijn en de caissière
heeft vergeten een fles rode wijn te rekenen. 'Dan ga je
5  natuurlijk terug naar de kassa,' zegt mevrouw Van
Berkum-Zwartlox (80). 'Ach,' zegt Mark van Doorn (34),
'het hangt er een beetje van af hoe ver ik van huis ben en
hoe duur die fles was.' En Rosemarijn (22) zegt: 'Nee
hoor, ik ga niet terug naar Albert Heijn. Maar bij een
10  kleine winkelier hier op de hoek zou ik dat wel doen.'

**Klagen**
Tegenwoordig heeft ieder mens zijn eigen moraal, zo
blijkt. Klagen over de moraal is van alle tijden. De één
klaagt vanwege de slechte behandeling die hij in een
15  winkel krijgt, de ander omdat er te veel seks op de televisie
is. Sommige politici proberen meer kiezers te krijgen door
te zeggen dat er geen moraal is in dit land. Maar is dat ook
zo? En hoe zou dat komen? Vroeger bood vooral de kerk
in Nederland moraal. Die had een duidelijke invloed op
20  de mensen. Inmiddels gaan steeds minder mensen naar de
kerk. Mist de samenleving nu misschien de sterke hand
van de kerk? Raken mensen op het verkeerde spoor door
de toenemende individualisering?

**Vrijheid?**
25  'Mensen kunnen de sterke hand van de kerk best missen.
Het hoeft niet meteen verkeerd te gaan,' zegt Van
Gunsteren, professor te Leiden. 'Er is wel moraal nodig,
maar de meningen mogen best verdeeld zijn. Er is nu
vrijheid van moraal. Dat betekent niet dat alles mag, maar
30  wel véél. Verschillende meningen zijn goed voor een
samenleving. Laatst zat ik in de tram, er komen twee
agressieve jongeren naar me toe. Ze zeggen: "Jij hoort hier
niet". Dan denk ik niet meteen: er is geen moraal meer in dit
land. Nee, je moet juist met die dingen leren omgaan. Of je
35  het leuk vindt of niet. De samenleving vraagt dat van je'.
Volgens Van Gunsteren is het zoeken naar moraal niet
nieuw. 'Niet alleen het klagen over de moraal is van alle

tijden, ook het zoeken ernaar. Dat hoort echt niet alleen bij onze moderne samenleving. Leest u de verhalen in de Bijbel
40  er maar eens op na.'

### Individualisering

Professor Juliaan van Acker vindt het zoeken naar moraal wél typisch voor deze tijd. 'Vroeger hadden de mensen
45  tenminste nog oog voor elkaar. Tegenwoordig gaat het vooral om het eigen ik. De mensen hebben geen idealen meer.' Normen en waarden kent iedereen diep in zijn hart, zegt
50  hij. Toch ziet hij vreemde dingen om zich heen. Hij kent een kind van wie de ouders allebei om zeven uur 's morgens weg zijn. 'Daardoor krijg je een lastig kind. [...] Er is geen tijd
55  meer voor elkaar. Ik probeer met vier collega's een bespreking van anderhalf uur te houden. Daar ben ik al drie maanden mee bezig. Dat is toch belachelijk.' Van Acker wijst op de
60  resultaten van Amerikaans onderzoek dat pas werd uitgevoerd. Hieruit bleek dat partners die allebei verdienen nog maar tien minuten per dag met elkaar praten. Van Acker zou graag willen
65  dat mensen minder naar hun eigen voordeel kijken. Daardoor gaat er veel verkeerd op het moment. Hij wil dat mensen zich verzetten tegen een politiek en een economie die maken
70  dat ze zich alleen voor hun eigen zaak interesseren.

Naar: *de Volkskrant*, 25 maart 1995.

| de moraal | professor | de norm | tenminste |
| de behandeling | agressief | de waarde | zich verzetten (tegen) |
| individualisering | het ideaal | diep | de economie |

## Oorzaak

**vanwege**      Vanwege de acties van conducteurs rijden er vandaag geen treinen.
De één klaagt vanwege de slechte behandeling die hij in een winkel
krijgt, de ander omdat er te veel seks op de televisie is.

**door**         Door het slechte weer konden we niet naar buiten.
Sommige politici proberen meer kiezers te krijgen door te zeggen
dat er geen moraal is in dit land.

**daardoor**     Ik heb de auto vanavond niet. Daardoor kom ik met de bus.
Van Acker zou graag willen dat mensen minder naar hun eigen
voordeel kijken. Daardoor gaat er veel verkeerd op het moment.

*Let op:*     **vanwege** / **door** + *zelfstandig naamwoord*
Vanwege de acties van conducteurs rijden er vandaag geen treinen.
Door het slechte weer konden we niet naar buiten.

**door** + *te* + *infinitief*
Sommige politici proberen meer kiezers te trekken door te zeggen
dat er geen moraal is in dit land.

# E   6   In Holland staat een huis

In Hol-land staat een huis, in Hol-land staat een huis. In Hol-land staat een huis, ja, ja, van je

sin-ge-la, sin-ge-la hop-sa-sa. In Hol-land staat een huis, in Hol-land staat een huis.

2. In 't huis daar woont een heer, enz.
3. De heer die kiest een vrouw,
4. De vrouw die kiest een kind,
5. Het kind dat kiest een meid,
6. De meid die kiest een knecht,
7. De knecht die kiest een hond,
8. De hond die kiest een kat,
9. De kat die kiest een muis,
10. Nu jagen we de muis uit 't huis,
11. Nu jagen we de kat uit 't huis,
12. Nu jagen we de hond uit 't huis,
13. Nu jagen we de knecht uit 't huis,
14. Nu jagen we de meid uit 't huis,
15. Nu jagen we het kind uit 't huis,
16. Nu jagen we de vrouw uit 't huis,
17. Nu jagen we de heer uit 't huis,
18. Nu staat het huis alleen.
19. Nu steken we 't huis in brand.
20. Nu schoppen we 't huis omver.
21. Nu bouwen we 't huis weer op.
22. Nu staat het huis weer klaar.

Bron: *Oude kinderliedjes.*
Uitgeverij Cantecleer bv, De Bilt 1976.

E    **7   En die vrouw die kiest een vrouw**

...en die vrouw die kiest een vrouw

en kiest u toch een man, let dàn op kwaliteit

E    **8   Aardappelsandwich**

# 8 Files op de volgende wegen...

## A    1  Lief en leed in de file

'Er zijn files op de volgende wegen...'. Het verkeer wordt
steeds drukker en de ANWB verwacht dat dat voorlopig niet
zal veranderen.
De redactie van de *Kampioen*, het blad van de ANWB, vroeg
5  haar lezers een kort verhaal te schrijven over lief en leed in de
file. Er kwamen honderden verhalen binnen. De grappigste
en leukste werden beloond.

**Josta Walravens (10 jaar), Kerkrade:**
Mijn vader moet vaak lang reizen voor zijn werk. Soms met
10  de trein, soms met de auto. De trein heeft vaak vertraging en
met de auto staat m'n pa in de file. Ik vind dat niet leuk.
's Avonds is hij vaak niet bij het eten en 's ochtends zie ik
hem zelden. Soms komt mijn vader pas thuis als mijn broer
en ik al slapen. Hij blijft ook wel eens dag en nacht weg voor
15  zijn werk en dat vind ik hélemaal niet leuk. Als hij lang in de
file heeft gestaan, dan is hij te moe voor een spelletje. Ik zou
u willen vragen snel iets aan de files te doen.

**P. Degens, Amersfoort:**
Files ontstaan niet alleen om redenen die je met je verstand

20   kan bedenken (te veel auto's, te weinig wegen), maar hebben
ook emotionele redenen. Sommige mensen willen
bijvoorbeeld niet carpoolen uit angst voor verlies van privacy.
Deze files zijn het moeilijkst op te lossen.
Het probleem is dat men probeert de 'emotionele' files met
25   het verstand op te lossen. Dat kan niet. 'U wint tijd,' zeggen
ze dan om mensen de auto uit te krijgen. Maar iemand die
wil beschikken over z'n eigen auto is daar niet in
geïnteresseerd. Alleen een leuke oplossing kan helpen bij
dergelijke problemen: wil je mensen vanuit de file in de trein
30   krijgen? Ga dan geen discussie voeren, maar geef spaarzegels
of air miles als ze met de trein gaan. Daar zijn Nederlanders
gek op.

### Erna Klooster, Numansdorp:

Toen we terugkwamen van vakantie, kwamen we in een
35   lange file terecht. Eén grote rij auto's, caravans en
vrachtwagens. Vreselijk, want ik moest ontzettend nodig.
Maar om nu naast de file in de kant te gaan zitten, vond ik
niet zo'n prettig idee. Het leek me beter maar een stukje
heen en weer te lopen, dat helpt ook. En plotseling kreeg ik
40   een prachtig idee.
Achterin de auto lag nog een grote zak snoep. Die zak heb ik
gepakt en ik ben samen met mijn vriendin langs de auto's die
voor ons stonden gaan lopen. Bijna iedereen bleek wel zin te
hebben in een lekker snoepje en in een gezellig praatje met
45   twee meiden. Na een paar kilometer lopen was onze zak leeg.
Aan de kant van de weg hebben we gewacht op de zus van
mijn vriendin, want die reed.

Naar: 'File lief en leed' in: *Kampioen*, september 1995

| | | |
|---|---|---|
| het leed | het spel | de air miles |
| de file | het verstand | terechtkomen |
| het verkeer | emotioneel | de rij |
| verwachten | carpoolen | de caravan |
| de redactie | de angst | de vrachtwagen |
| belonen | winnen | nodig moeten |
| de vertraging | beschikken over | plotseling |
| de pa | de discussie | het snoep |
| zelden | de spaarzegel | het praatje |

## *Woordvorming (1): afleidingen*

*1 Zelfstandige naamwoorden*

**Zelfstandige naamwoorden kunnen verschillende achtervoegsels hebben, bijvoorbeeld:**

| | |
|---|---|
| **-ing** | bevolking, regering, vertraging |
| **-heid** | gelegenheid, gezondheid, meerderheid |
| **-er** | Ethiopiër, filmer, lezer |
| **-aar** | eigenaar, Parijzenaar, handelaar |
| **-schap** | boodschap, beterschap, eigenschap |
| **-ist** | lokettist, activist, boeddhist |
| **-aan** | Amerikaan, Afrikaan, Braziliaan |

*2 Bijvoeglijke naamwoorden*

**Bijvoeglijke naamwoorden kunnen verschillende achtervoegsels hebben, bijvoorbeeld:**

| | |
|---|---|
| **-lijk** | waarschijnlijk, gevaarlijk, heerlijk |
| **-ig** | veilig, gezellig, prettig |
| **-isch** | economisch, erotisch |
| **-baar** | middelbaar, openbaar, breekbaar |
| **-loos** | werkloos, foutloos, |
| **-iek** | klassiek, politiek, antiek |
| **-en** | glazen, marmeren, papieren |

*3 Werkwoorden*

**Werkwoorden kunnen verschillende voorvoegsels hebben. Deze voorvoegsels hebben geen accent. Bijvoorbeeld:**

| | |
|---|---|
| **be-** | beginnen, belonen, bepalen |
| **her-** | herinneren, herhalen, herkennen |
| **ont-** | ontdekken, ontmoeten, ontvangen |
| **ver-** | verwachten, vergelijken, vergeten |
| **ge-** | gebeuren, gebruiken, geloven |

**B**          **2   Vakantieplannen?**

Half elf tot elf uur. *Reislustig*
Discussieprogramma over reizen. Ger Bakker praat met Bart Stevens van GroenLinks over de gevolgen van reizen voor het milieu.

Amster

AFRIKA

ZUID-AFRIKA 1996. Unieke 22-daagse rondreizen. Vertrek 12/1, 9/2, 8/3, 12/7, 4/10, 8/11 ƒ 6.200. 1995 vol. Bankgarantie. Uitst. hotels. Ned. reisl. Bezoek onze voorlichtingsdag te Rosmalen op 25/11. Ned. Zuidafrikaanse Reisorg. 05700-43086.

ZIMBABWE - 17d. Fly&Drive ƒ 2525,- incl. vlucht Jan. t/m Mrt + Auto.Cat.A. Travel Expert (SGR) 08364-8606.

AVONTUUR!!! 28 dgn. Mali, Ghana, Burk. Faso, ƒ 3350. 16-12, 14-1. Bel Ashraf: 020-6232450 Lid VAR/SGR.

UNIEKE Malireis: Niger per boot, Dogon te voet, Mopti, Djenne + evt. muziek/dansfestival Senegal rond Kerst. Vertrek 7/12. SAN 020-6182679.

FLYWORLD SCHIPHOL voor uw ticket naar Afrika 020-6570000 ANVR/SGR ma/vr

AVONTUUR!! 30 dgn Ethiopie, ƒ 3.250. 25-11, 20-1, 17-2 etc. Bel Ashraf: 020-6232450 var/sgr

EGYPTE

AVONTUURLIJKE rondreis Egypte 15-22 dgn. v.a. ƒ 1495,- incl. vliegreis, hotels, vervoer etc. Div. ver-

'En..., al vakantieplannen?' Het antwoord op die vraag moet je tegenwoordig al rond de kerstdagen

5 geven. Maar het wordt steeds moeilijker om een bestemming te kiezen. Elk jaar komen er meer mogelijkheden. Tien, vijftien jaar geleden ging iedereen naar de Franse Rivièra of de Spaanse Costa Brava, maar tegenwoordig vliegen mensen

10 rustig naar het andere eind van de wereld. Ieder jaar gaan er meer Nederlanders op vakantie en zij doen dat steeds vaker en steeds langer. Als je de cijfers over toerisme bekijkt, moet je de conclusie trekken dat met name de westerse

15 bevolking altijd aan het reizen is. Voor het milieu is dit geen goede zaak.
Wij praten hierover met Bart Stevens van GroenLinks.
Ook u kunt uw reactie laten horen.

*Ger Bakker* Meneer Stevens, wat vindt u nou van die verre reizen?
20 *Bart Stevens* Vreselijk vind ik het. Natuurlijk kan ik me best voorstellen dat iemand lekker ver weg wil, eens wat anders wil zien, andere culturen, mooie natuur en natuurlijk de zon. Maar het is toch te gek dat veel mensen, al gaan ze maar een weekje weg, meteen het vliegtuig pakken? Het milieu kan dat gewoon niet hebben.

| | | |
|---|---|---|
| 25 | *Ger Bakker* | Maar waarom eigenlijk niet? |
| | *Bart Stevens* | Nou, het is bekend dat het gat in de ozonlaag steeds groter wordt, onder andere door al dat reizen. Met alle gevolgen van dien. Maar ook de plaatsen waar de mensen naartoe gaan, gaan achteruit. In de Alpen bijvoorbeeld, waar heel Europa zo nodig op wintersport moet, daar |
| 30 | | staat geen boom meer. Telkens weer wordt er een nieuw gebied in gebruik genomen, waardoor steeds vaker lawines ontstaan. Op Mallorca wordt zoveel water gebruikt door de toeristen dat het hele eiland verdroogt. En de berg afval groeit en groeit maar... |

| | | |
|---|---|---|
| | *Ger Bakker* | Ik krijg hier een reactie van meneer Dam uit Groningen. |
| 35 | | Meneer Dam, u bent het niet met Meneer Stevens eens? |
| | *meneer Dam* | Nee, helemaal niet. Ik werk er het hele jaar hard voor om drie weken naar de zon te kunnen. Waarom zou dat dan niet mogen? Volgens mij valt het best wel mee met dat milieu. Vroeger kon iedereen doen wat hij wou en nou mag je opeens niks meer. Je moet de auto laten staan, |
| 40 | | het vliegtuig mag niet meer. Wat blijft er dan nog over? |
| | *Ger Bakker* | Meneer Stevens? |
| | *Bart Stevens* | Een heleboel blijft er over. Waarom kan je niet wat dichter bij huis blijven? In Nederland valt ook nog zo veel te zien. Pak de fiets of eh, ga wandelen. En als je ver weg gaat, neem dan eens de trein. Ik ben |
| 45 | | zelf dit jaar al drie keer op vakantie geweest. In het voorjaar heb ik op de Veluwe gefietst en gewandeld, in de zomer ben ik naar Zuid-Duitsland gefietst en twee weken geleden ben ik met de trein naar Spanje gereisd. |

| | | |
|---|---|---|
| | *Ger Bakker* | Ik heb hier mevrouw Vos uit Amstelveen aan de telefoon. |
| 50 | *mevrouw Vos* | Meneer Stevens, wat heeft het nou voor zin om zo moeilijk te doen? Iedereen doet het toch? Wat helpt het nou als u en ik niet meer reizen? We worden er alleen maar boos van als we zo beperkt worden in onze mogelijkheden. En de rest van de mensen blijft toch reizen. Uren in een volle bus naar Spanje voor ongeveer hetzelfde geld als het |
| 55 | | vliegtuig, je bent toch gek als je dat doet? Wel zouden ze iets moeten doen aan het lawaai van de vliegtuigen. 's Ochtends om zes uur vliegen ze al boven m'n hoofd. Daar zouden ze eens aan moeten denken. |

| | | | | |
|---|---|---|---|---|
| het vakantieplan | vliegen | de ozonlaag | de lawine | overblijven |
| reislustig | het toerisme | met alle gevolgen van dien | de toerist | |
| het discussieprogramma | westers | de wintersport | het eiland | |
| de kerstdagen | het vliegtuig | telkens | verdrogen | |

> ### *Werkwoorden van vervoer*
>
> **Werkwoorden van vervoer (fietsen, lopen, reizen, varen, vliegen, wandelen, enzovoort) hebben twee soorten hulpwerkwoorden van tijd: hebben of zijn.**
>
> **1  zonder richting: hebben**       In het voorjaar heb ik op de Veluwe en gefietst en gewandeld.
> Ze hebben nog nooit gevlogen.
>
> **2  met richting: zijn**       In de zomer ben ik naar Zuid-Duitsland gefietst en twee weken geleden ben ik met de trein naar Spanje gereisd.

## C      3  Fietsen

Fietsen is in Nederland populairder dan ooit tevoren. Toen tien jaar geleden werd vastgesteld hoeveel de Nederlanders per jaar fietsen, kwam men uit op tien miljard kilometer; in 1994 was dat zelfs 12,9 miljard. Dat betekent dat

5   Nederlanders gemiddeld drie kilometer per dag afleggen. De hoeveelheid fietsen is enorm: er zijn in Nederland circa vijftien miljoen fietsen. Op straat rijden er zo'n 14,5 miljoen, terwijl er nog eens een half miljoen als oud ijzer in schuurtjes staan of op de bodem van een kanaal liggen.

10  Het is niet zo eigenaardig dat fietsen in Nederland populair is. Nederland is lekker vlak, je hoeft nooit tegen een berg op te fietsen en je kunt overal komen met je fiets. Sinds de zorg voor het milieu is toegenomen, is fietsen alleen maar populairder geworden. We zien allemaal dat het zo niet langer

15  door kan gaan en we passen ons gedrag aan. We doen flessen en oude kranten in aparte bakken en we gooien plastic tasjes niet meteen weg. We laten de auto wat vaker in de garage en keren terug naar de fiets. Als we naar de cijfers kijken, dan spreken die voor zichzelf: in 1994 werden er 1,4 miljoen nieuwe fietsen en 950.000 gebruikte fietsen verkocht.

20  Eén probleem zal wel niet verdwijnen zolang er gefietst wordt: er worden in Nederland veel fietsen gestolen. Bewoners van grote steden rijden daarom dikwijls op een oude fiets. Alleen diegenen die heel erg geloven in het goede van de mens, proberen het nog een keer met een nieuwe fiets in de stad nadat de eerste is gestolen. De meerderheid van de fietsers in de

25  stad rijdt naar school of werk op een tweedehands fiets. Vaak staat er dan

thuis in de schuur wel een racefiets. Zodra het weekend of de vakantie begint, pakken ze die en trekken erop uit.

Sinds enige jaren is het ook erg populair om met de fiets op vakantie te gaan. Veel mensen hebben geen zin meer in een verblijf aan een Spaans
30  strand, maar overwegen een actieve vakantie elders. De fiets ligt dan voor de hand. Op de fiets kun je alle kanten uit en je kunt elke minuut het doel van je reis veranderen. Je komt in plaatsen waar je anders nooit gekomen zou zijn, je ziet veel en je beweegt de hele dag.

Je kunt natuurlijk op reis gaan met het idee 'ik zie wel waar ik uitkom'.
35  Maar je kunt ook een beschreven route volgen. Die vind je binnen Nederland, maar het is ook mogelijk om van Den Helder naar het noorden van Frankrijk te fietsen. Wie voor het eerst aan een vakantie op de fiets begint, moet misschien denken aan een georganiseerde tocht. Je hoeft dan niet zelf je eigen bagage te vervoeren en als je een
40  lekke band krijgt, word je geholpen. En wanneer je na een lange tocht 's avonds op het punt van bestemming aankomt, staat het eten vaak al voor je klaar. De volgende dag kun je uitgerust je reis voortzetten.

Naar: *Stivon Stukken*, nummer 15, 1990. Cijfers van CBS 1995.

| fietsen | het ijzer | aanpassen | stelen | het verblijf | lek |
| populair | de schuur | het gedrag | de bewoner | overwegen | de band |
| ooit | de bodem | de bak | dikwijls | elders | uitgerust |
| tevoren | eigenaardig | weggooien | de fietser | bewegen | voortzetten |
| de hoeveelheid | vlak | de tas | de racefiets | beschrijven | |
| circa | de berg | de garage | erop uit trekken | de bagage | |

## *Terwijl, zolang, zodra, sinds*

**Terwijl, zolang, zodra en sinds zijn voegwoorden van tijd.**

**Terwijl = op hetzelfde moment dat/in dezelfde periode dat.**
Terwijl hij naar Den Helder fietste, begon het te regenen.

**Zolang = in de tijd dat**
Eén probleem zal wel niet verdwijnen zolang er gefietst wordt: er worden in Nederland veel fietsen gestolen.

**Zodra = meteen op het moment dat.**
Zodra het weekend of de vakantie aanbreekt, pakken ze die fiets en trekken erop uit.

**Sinds = vanaf het moment dat.**
Sinds de zorg voor het milieu is toegenomen, is fietsen alleen maar populairder geworden.

*Let op:*
**Na deze voegwoorden volgt een bijzin:**
Terwijl hij in de auto *zit*, luistert hij altijd naar de radio.
Ik kom, zodra ik klaar *ben*.

**D**      🔲 **4  Ambulancedienst Hoek van Holland**

Jammer genoeg gaat niet altijd alles voor de wind. Er kunnen ongelukken gebeuren, ook als je op vakantie bent. Gelukkig zijn er ambulances. Die kunnen snel ter plaatse zijn om de eerste hulp te verlenen of een patiënt in hoog tempo naar het ziekenhuis te
5   brengen. Meneer Quak is chauffeur op een ambulance in Hoek van Holland. Dat is een plaats waar veel toeristen komen. Het ligt aan zee en bij mooi weer zijn er altijd veel mensen aan het strand. Bovendien is het de plaats waar de boot uit Engeland aankomt. Wij hadden een gesprek met meneer Quak over zijn werk.

10  *interviewer*  Meneer Quak, u bent chauffeur op een ambulance, nietwaar? Kunt u zeggen wat precies uw taak is als er een ongeluk is gebeurd?

*Herman Quak*  Tja, als er ergens wat gebeurd is, dan komt hier op kantoor het bericht van het ongeluk binnen. Ik ren dan met de zuster of de

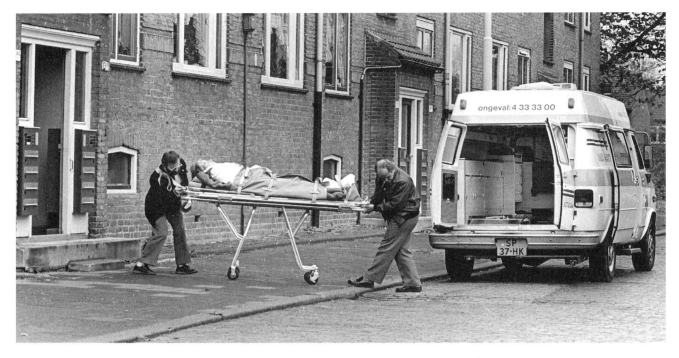

<table>
<tr><td></td><td></td><td>broeder, het is maar net wie er op dat moment dienst heeft, dan</td></tr>
</table>

|     |               | broeder, het is maar net wie er op dat moment dienst heeft, dan |
| 15  |               | ren ik naar de ambulance, we springen in de auto en we rijden |
|     |               | naar de plaats van het ongeluk. |
|     | *interviewer* | Ja, en dan? |
|     | *Herman Quak* | En dan? Nou, dan kijken we wat er aan de hand is. Meestal |
|     |               | hebben we onderweg in de auto al zo'n beetje gehoord hoe |
| 20  |               | de toestand is, hoeveel slachtoffers er zijn, hoe erg het is, en |
|     |               | of we medische hulp kunnen verlenen. |
|     | *interviewer* | Ja, want u bent natuurlijk geen dokter, hè? |
|     | *Herman Quak* | Nee, nee, het enige wat wij doen is proberen eerste hulp te |
|     |               | verlenen, maar meestal gaat het zo snel mogelijk richting |
| 25  |               | ziekenhuis. Daar wordt dan voor de verdere behandeling |
|     |               | gezorgd. |
|     | *interviewer* | Hoe vaak komt er nu een bericht binnen? Ja, want we zitten |
|     |               | hier nu al een tijdje, maar het is vandaag geloof ik erg rustig, |
|     |               | hè? Dat is toch niet altijd zo, neem ik aan? |
| 30  | *Herman Quak* | Nee, nee, nee, jammer genoeg niet. De ene week heb je |
|     |               | natuurlijk meer te doen dan de andere, maar gemiddeld |
|     |               | moeten we toch per jaar zo'n vijfhonderd keer uitgaan. |
|     |               | 's Zomers zijn er soms dagen dat je een keer of vier, vijf |
|     |               | wordt opgeroepen. |

| 35 | *interviewer* | Er gebeuren zeker veel ongelukken aan het strand? |
| | *Herman Quak* | Ja, mensen gaan wel eens te ver de zee in, een beetje dom |
| | | natuurlijk. Ze dreigen dan te verdrinken. Wij halen ze dan uit |
| | | het water. En als het niet te ver is en de golven zijn niet te |
| | | hoog, zwemmen we ernaartoe. Anders halen we ze met een |
| 40 | | bootje op. |
| | *interviewer* | Is het waar dat u door de veerdienst op Engeland veel extra |
| | | werk hebt? |
| | *Herman Quak* | Nogal, ja. Doordat de boot uit Engeland hier aankomt, |
| | | moeten we regelmatig richting haven. Vorige week nog |
| 45 | | hadden we een oude man, die het aan zijn hart had. Of |
| | | iemand is in zijn hut uit bed gevallen en heeft bijvoorbeeld |
| | | een arm gebroken. En er wordt ook wel eens zo hard |
| | | gevochten aan boord, dat mensen gewond raken. We beleven |
| | | hier echt van alles! |

Naar: *Stivon Stukken*, nummer 15, 1990.

| de ambulancedienst | de boot | dom | de veerdienst | het boord |
| de patiënt | de broeder | dreigen | nogal | gewond |
| het tempo | de toestand | verdrinken | de haven | beleven |
| de chauffeur | medisch | de golf | de hut | |
| de zee | oproepen | ophalen | vallen | |

## *Instemming vragen*

| ..., hè? | Ja, want u bent natuurlijk geen dokter, hè? |
| | Maar het is vandaag geloof ik erg rustig, hè? |
| **..., neem ik aan?** | Dat is toch niet altijd zo, neem ik aan? |
| **..., nietwaar?** | Meneer Quak, u bent chauffeur op een ambulance, |
| | nietwaar? |
| **zeker** | Ja, er gebeuren zeker veel ongelukken aan het strand? |

**E**      **5**  Toen de toeristen kwamen ...

Toen de toeristen kwamen,
veranderden onze eilandbewoners
tot een grotesk vermaak,
een show van twee weken.

5   Toen de toeristen kwamen,
legden onze mannen hun netten neer
om kelner te worden,
onze vrouwen werden hoeren.

Toen de toeristen kwamen,
10   verdwenen de laatste resten
van onze kultuur.
We verpatsten onze
gebruiken voor zonnebrillen en popcorn.
We maakten een peep-show
15   van onze heilige ceremoniën.

Toen de toeristen kwamen,
bleven de honger en het vuil
bewaard als een schouwspel
voor passerende kamera's:
20   een chique vuiltje-in-het-oog.

Toen de toeristen kwamen,
werd ons gevraagd om
trottoir-ambassadeur te zijn,
altijd te glimachen en
25   beleefd te blijven,
de 'verdwaalde' toerist
altijd de weg te wijzen.

Wat een hel.
Als we ze maar eens konden vertellen
30   waar we ze echt heen wilden hebben?

*Cecil Rajendra*

Uit: Ron O'Grady, Retourtje derde wereld, *BijEEN-publikatie* 22.

**E**      **6   Reisverschijnselen: 'Leuk skipak'**

Wat ziet u er goed uit!
Mooie auto!
Leuk skipak!
Je bent een lieve jongen/meid.
5   Wat een lief kindje!
U danst (kookt, voetbalt) heel goed.
Ik vind het fijn om bij je te zijn.
Ik heb je zo gemist.
Ik heb van je gedroomd.
10   Ik moet de hele dag aan je denken.
Je lacht zo lief.
Je hebt zulke mooie ogen.
Ik ben verliefd op je.
Ik ook op jou.
15   Ik hou van jou.
Ik ook van jou.
Ik heb niet zulke sterke gevoelens voor jou.
Ik heb al een vriend/vriendin.
Ik ben nog niet zo ver.
20   Het gaat me veel te snel.
Blijf van me af.
Okee, geen probleem.
Blijf je vannacht bij me?
Ik wil graag met je naar bed.
25   Alleen met een condoom.
We moeten voorzichtig zijn vanwege aids.
Dat zeggen ze allemaal.
Laten we geen risico nemen.
Heb je een condoom?
30   Nee? Dan doen we het niet.
Wanneer zie ik je weer?
Heeft u in het weekend tijd?
Wat zullen we afspreken?
Waar zullen we elkaar treffen?
35   Komt u mij/ons halen?
Zal ik u ophalen?
Ik moet om ... uur thuis zijn.
Ik wil u niet meer zien.

Uit: *de Volkskrant,*
9 september 1995

9 Mag dat niet?

# A   1   Mensenrechten kun je leren

Het Institute of Social Studies (ISS) in Den Haag organiseert elk jaar een cursus mensenrechten. In acht weken tijd leren activisten uit de hele wereld over de juridische, sociale en economische kanten van mensenrechten. Maar vooral leren ze van elkaar.

5   De cursus over mensenrechten van het ISS werd voor het eerst georganiseerd in 1983. Elk jaar komen twintig tot vijfentwintig studenten naar Den Haag. De cursisten komen uit landen als Soedan, de Filippijnen, Nigeria, Palestina, Cambodja en Jemen. De verschillen tussen de cursisten blijken groot te zijn. De Zuid-Afrikaanse Sadek kan
10   openlijk praten over haar werk als directeur van het Human Rights Institute. Andere cursisten werken onder heel andere omstandigheden, zoals de Togolees Kussi, of een vrouw uit een streng islamitisch land die zo bang is voor haar regering dat ze niet eens met haar naam in de krant wil.

15   **Discussie**
De cursus in Den Haag begint met een workshop waarin de cursisten elkaar en elkaars cultuur beter leren kennen. Daarna zijn er lessen over recht, cultuur en economie. Vervolgens gaat de hele groep vier dagen naar Schiermonnikoog. Daar vertellen ze uitvoerig wat ze hebben

Groep uit 1994 van de
cursus mensenrechten
op zolder bij het ISS

20 meegemaakt en hoe slecht het huidige beleid van het kapitalistische
westen is. 'Dat is ook nodig. Klagen geeft lucht. Het is blijkbaar prettig
om te horen dat mensen aan de andere kant van de wereld dezelfde
problemen hebben,' vertelt een van de docenten.
Tijdens de cursus is er veel discussie. Dat is voor de cursisten wel even
25 wennen. 'Als activisten in Sri Lanka bij elkaar komen, gaat het heel erg
formeel. Daar worden allerlei rechten en verdragen behandeld, maar je
leert er weinig van elkaar,' zegt Aravindan, die zijn werk als rechter in
Colombo opgaf toen hij zag hoe Tamils in elkaar werden geslagen.
Na twee weken worden er workshops gegeven waarin geleerd wordt hoe
30 je bij schending van mensenrechten een beroep kunt doen op
internationale verdragen. De cursisten wordt eveneens geleerd welke
tactieken en strategieën je kunt gebruiken om burgers bewust te maken
van hun rechten.

**Communicatie**

35 Een van de grootste problemen in de derde wereld is de communicatie.
Boeren in kleine dorpen weten feitelijk niets van hun rechten. Ze weten
vaak niet hoe ze moeten protesteren als ze van hun land worden gezet of
in elkaar worden geslagen door de politie.
De cursisten leren van elkaar hoe ze de bevolking kunnen beschermen en
40 vooral hoe ze hen bewust kunnen maken van hun rechten. In de cursus
wordt ook gepraat over hoe je kunt samenwerken met andere
organisaties.
De cursisten hebben veel waardering voor de cursus. Maar het is
natuurlijk vreemd dat mensen uit de derde wereld naar Nederland
45 moeten komen en les moeten krijgen over hun land. Voor Kussi uit
Togo is dat juist een voordeel: 'Ik moet toegeven dat ik nu op een andere
manier naar het westen kijk dan vroeger. Veel positiever. Dat komt
doordat ik hier nu twee maanden geweest ben. In mijn land zou zoiets
nooit georganiseerd kunnen worden.' Een docent: 'Misschien gaat dat in
50 de toekomst wel gebeuren. Het ISS heeft al een cursus georganiseerd in
Latijns-Amerika. Er zijn ook plannen voor Zuidelijk Afrika en Azië.'

Naar: *NRC Handelsblad*, 13 oktober 1994.

| | | | | |
|---|---|---|---|---|
| de mensenrechten (mv) | de omstandigheid | blijkbaar | de schending | bewust |
| juridisch | islamitisch | formeel | een beroep doen op | feitelijk |
| sociaal | de workshop | het verdrag | eveneens | samenwerken |
| de cursist | uitvoerig | behandelen | de tactiek | toegeven |
| openlijk | meemaken | de rechter | de strategie | |
| de directeur | kapitalistisch | opgeven | de burger | |

**B**      **2   Legitimatieplicht**

| | |
|---|---|
| *interviewer* | Sinds 1 januari 1994 moeten alle inwoners van Nederland een legitimatiebewijs bij zich hebben. Twee jaar na de invoering van die legitimatieplicht praten we over de huidige stand van zaken met een aantal mensen. Aan de telefoon hebben we Ine van Gelder van het Ministerie van Justitie. Goedemorgen, mevrouw van Gelder. Waarom was die legitimatieplicht eigenlijk nodig? |
| *Ine van Gelder* | Nou, de legitimatieplicht is nodig om fraude en criminaliteit terug te dringen. Uit onderzoek bleek dat er enorm veel zwart geld zit in Nederland. Daar wilde de overheid iets aan doen. Ook fraude met uitkeringen is nu beter te controleren. Bovendien is het de bedoeling dat het voetbalvandalisme daalt en dat het aantal zwartrijders in tram, trein en bus afneemt. Nu iedereen een legitimatiebewijs bij zich moet hebben, kan men geen valse naam meer opgeven. En verder is de legitimatieplicht ook nog een hulp bij het vinden van illegalen. |
| *interviewer* | Dank u wel voor uw reactie. Wie hebben we nu aan de telefoon? Meneer Post? Ja, Harmen Post van het vervoerbedrijf in Groningen. Het schijnt dat de vervoerbedrijven niet zo gelukkig zijn met de legitimatieplicht. Klopt dat, meneer Post? |

Line numbers in left margin: 5, 10, 15, 20

|  |  |
|---|---|
| *Harmen Post* | Nou, ik zal je vertellen, hier in Groningen hebben we te maken met een half tot één procent zwartrijders. En dat zijn dan nog voor de helft ouderen die hun 65+-pas vergeten zijn. |
| 25 | Blijkbaar hebben we hier niet zo'n groot probleem met zwartrijders als bijvoorbeeld in de grote steden. Reizigers geven zelden een valse naam. Het personeel van het vervoerbedrijf hoeft bijna nooit om een legitimatie te vragen. |
| *interviewer* | Dank je wel, Harmen Post. Ik heb aan de telefoon Jan |
| 30 | Westerlaken van PSV. Voetbalsupporters schijnen al jaren een legitimatiebewijs te moeten hebben. Niet waar Jan? |
| *Jan Westerlaken* | Jazeker. Bij het voetballen is de legitimatieplicht al jaren de norm. We werken met pasjes waar naam en adres op staan. Als je zo'n ding niet kunt laten zien, voldoe je niet aan de eisen |
| 35 | en kom je er niet in. Ik vind die legitimatieplicht prima. Als iedereen zich aan de wet houdt, is er niks aan de hand. Ik denk dat die legitimatieplicht echt helpt tegen voetbalvandalisme. Ze kunnen dan geen valse naam opgeven. Als je iets rots hebt uitgehaald, kun je worden opgepakt. En zo hoort het ook. |
| 40  *interviewer* | Bedankt voor je reactie. Wim Janssen van de Stichting '40-'45 heeft hier geloof ik iets aan toe te voegen. Meneer Janssen, hebt u ook zulke positieve ervaringen met de legitimatieplicht? |
| *Wim Janssen* | Nee, absoluut niet. Waarvoor is zo'n legitimatieplicht nu |
| 45 | eigenlijk nodig? Ik heb de oorlog meegemaakt. Toen moesten we ook zo'n legitimatiebewijs hebben. De Duitsers pakten je zonder aarzelen op, alleen al om je leeftijd. Ik had nooit kunnen denken dat ik vijftig jaar later weer zo'n ding moest hebben. Zo wordt de generatie die de oorlog heeft |
| 50 | meegemaakt dubbel gepakt. Eerst die oorlog, en nu dit weer. En waarom? Echte criminelen maken toch gewoon een vals legitimatiebewijs? Dus om een paar illegalen te pakken, moet heel Nederland feitelijk een legitimatiebewijs hebben. Nou, belachelijk. |

| | | | |
|---|---|---|---|
| de legitimatieplicht | terugdringen | het vervoerbedrijf | waarvoor |
| de stand | de overheid | de 65+-pas | oppakken |
| het legitimatiebewijs | de uitkering | het personeel | aarzelen |
| de invoering | het voetbalvandalisme | voldoen aan | dubbel |
| de justitie | de zwartrijder | zich houden aan | de crimineel |
| de fraude | vals | rot | |
| de criminaliteit | de illegaal | uithalen | |

## Blijken en schijnen

| | | |
|---|---|---|
| *Iets is zeker:* | **blijken** | Toen ik op het station kwam, bleek de trein net weg te zijn. De verschillen tussen de cursisten blijken heel groot te zijn. Uit onderzoek bleek dat er enorm veel zwart geld zit in Nederland. |
| | **blijkbaar** | Het is blijkbaar prettig om te horen dat mensen aan de andere kant van de wereld dezelfde problemen hebben. |
| *Iets is niet helemaal zeker:* | **schijnen** | Hij schijnt al heel lang ziek te zijn. Voetbalsupporters schijnen al jaren een legitimatiebewijs te moeten hebben. Het schijnt dat de vervoerbedrijven niet zo gelukkig zijn met de legitimatiepicht. |

*Let op:*

**(Het) blijkt/schijnt** *dat* + *bijzin*
Het bleek dat niemand zin had in de vergadering.
Het schijnt dat de vervoerbedrijven niet zo gelukkig zijn met de legitimatiepicht.

Geen 'dat'? Dan: **blijken/schijnen** + *te* + *infinitief*
De verschillen tussen de cursisten blijken heel groot te zijn.
Hij schijnt morgen langs te komen.

## C    3   Ruilen

| | |
|---|---|
| *verkoper* | Goedemorgen mevrouw, wat kan ik voor u doen? |
| *mevrouw Kerst* | Goedemorgen. Meneer, ik heb gisteren deze broek bij u gekocht voor mijn zoontje, maar toen hij hem aandeed, vond hij hem helemaal niet mooi. Hij wil hem echt niet hebben. En nou wil ik hem ruilen, hier hebt u de bon. |
| *verkoper* | Het spijt me mevrouw, maar bij ons kunt u niet ruilen. |
| *mevrouw Kerst* | Wat? Niet ruilen? Hoe kan dat nou? Je kunt toch zeker overal alles ruilen? |
| *verkoper* | Nee mevrouw, dat kan niet. Het spijt me. U mag alleen ruilen als het op de kassabon staat. Bijvoorbeeld: 'ruilen alléén met deze bon binnen acht dagen' of 'zonder kassabon niet ruilen'. |
| *mevrouw Kerst* | Wat zegt u? Mag dat niet? Nou, maar daar neem ik geen genoegen mee. Wat een flauwekul. Natuurlijk kan ik ruilen. |
| *verkoper* | Nogmaals mevrouw, daar is geen sprake van. Hier wordt niet geruild. |

ruilen
gisteren
aandoen
de kassabon
genoegen nemen met
de flauwekul
nogmaals
geen sprake van

## C  [cassette]  4  En als u hier nu even uw handtekening zet?

| | |
|---|---|
| *leverancier* | Goedemiddag, meneer Goedhart. Wij komen uw bankstel brengen. |
| *Frits Goedhart* | O, wat fijn. Komt u binnen. Ria, doe die deur even open, het bankstel is er. Voorzichtig met schuiven, jongens! |
| *leverancier* | Zo, hier komt uw bank. En daar zijn de fauteuils. |
| *Ria Peters* | Nou, daar ben ik blij om. Daar hebben we lang op gewacht. |
| *leverancier* | Ja, dat is meestal zo. En als u nou hier even uw handtekening zet? |
| *Frits Goedhart* | Okee, alstublieft. En hartelijk bedankt hè? |
| *leverancier* | O, geen dank. En veel plezier ermee. |
| *Ria Peters* | Nou, gauw even kijken. Hé Frits, hieronder zit een grote scheur. Dat is toch werkelijk te gek! Wat doen we nou? |

(regelnummers: 5, 10)

| | | | | |
|---|---|---|---|---|
| de handtekening | het bankstel | schuiven | de dank | hieronder |
| de leverancier | voorzichtig | de fauteuil | het plezier | de scheur |

## *Nadruk geven*

**echt**
- Vind je het echt leuk om schoonmaakwerk te doen?
- Ja hoor, ik vind het helemaal niet erg.

Mijn zoontje vindt deze broek helemaal niet mooi. Hij wil hem echt niet hebben.

**werkelijk**
- Ik heb werkelijk ontzettende hoofdpijn.
- Nou, dan ga je toch lekker naar huis?

- Hé Frits, hieronder zit een grote scheur. Dat is toch werkelijk te gek! Wat doen we nou?

**D        5   Huurverhoging?**

Mevrouw Bernard woont in de
Ebbingestraat. Haar huur is 316 gulden
per maand. Gewoonlijk wordt per 1 juli
de huur verhoogd met vijf procent. Toen
5  ze dit jaar een brief van haar huisbaas
kreeg waarin stond dat ze zes procent
meer huur moest betalen, was ze heel
kwaad. Ze is niet bereid dit jaar haar
huurverhoging te betalen. Op advies van
10 het buurthuis heeft ze geprotesteerd bij
de huurcommissie aangezien haar

woning allerlei gebreken vertoonde: hij
was al jaren niet geschilderd, het lekte in
de kelder en de trap was kapot.
15 Het antwoord dat de huurcommissie
haar onlangs zond, was positief: in plaats
van een huurverhoging van zes procent
mocht ze haar oude huur blijven betalen.
Dat nieuws verheugde haar zeer, want
20 dat was precies wat ze wilde. Als de
huisbaas alles laat herstellen, zal ze de
volgende huurverhoging wel betalen.

## Wanneer heeft u als huurder het recht de oude huur te blijven betalen?

**1  *Als uw woning niet goed onderhouden is.***
De verhuurder moet er bijvoorbeeld voor zorgen
dat het huis van buiten wordt geschilderd. U
moet klachten snel aan de huisbaas melden, liefst
per brief (kopie bewaren). Dan weet uw huisbaas
in ieder geval dat hij er iets aan zal moeten doen.
Anders kan hij later zeggen dat hij niet wist dat
er klachten waren.

**2  *Als u te veel huur betaalt.***
Hoe wordt uw huur berekend? De prijs van een
woning hangt in principe af van het aantal
punten dat uw woning waard is. Hoeveel
punten uw woning waard is, kunt u zelf
uitrekenen. Wanneer u daarbij hulp nodig
heeft, kunt u naar het plaatselijke bureau voor
Rechtshulp gaan. U wordt daar gratis geholpen.

## Wat moet u doen om te protesteren tegen de huurverhoging?

Wanneer u wilt protesteren tegen uw
huurverhoging en u weet wat uw rechten zijn,
moet u een speciaal formulier invullen (te
verkrijgen bij de huurcommissie). Als de
nieuwe huur per 1 juli moet ingaan, dan moet

het formulier vóór 12 augustus bij de
verhuurder binnen zijn. Wie verdere
informatie wil hebben, kan die krijgen bij de
genoemde instanties.

Naar: *Staatskrant* 6, 29 juni 1990.

| | | | | | |
|---|---|---|---|---|---|
| de huurverhoging | aangezien | onlangs | onderhouden | uitrekenen | de instantie |
| gewoonlijk | de woning | zenden | de verhuurder | plaatselijk | |
| de huisbaas | vertonen | in plaats van | de klacht | de rechtshulp | |
| kwaad | schilderen | verheugen | de kopie | gratis | |
| bereid | lekken | herstellen | bewaren | verkrijgen | |
| de huurcommissie | de kelder | de huurder | berekenen | ingaan | |

## Als, wanneer, toen

**Als, wanneer en toen = op het moment dat, in de periode dat.**
Als jij morgen weg bent, kan ik rustig werken.
Wil je me waarschuwen wanneer het programma begint?
Toen ze vertrokken waren, ben ik naar de film gegaan.

*Let op:* als, wanneer, toen + bijzin

**Als/wanneer** + *de onvoltooid of voltooid tegenwoordige tijd*
Als jij morgen weg bent, kan ik rustig werken.
Als ik goed geslapen heb, word ik meestal op tijd wakker.
Wanneer u weet wat uw rechten zijn, moet u een speciaal formulier invullen.
Wil je me waarschuwen wanneer het programma begonnen is?

**Toen** + *de onvoltooid verleden tijd of een voltooid verleden tijd*
Toen mevrouw Bernard dit jaar weer een brief van haar huisbaas kreeg waarin stond dat ze drie procent huurverhoging moest betalen, was ze heel kwaad.
Toen ze vertrokken waren, ben ik naar de film gegaan.

## E     6   Rechtshulp

**Bureau voor Rechtshulp**
Oude Rijn 59, 2312 HC, tel. 123942. Spreekuur volgens afspraak.
Advies op het spreekuur is kosteloos. Is het no-
5  dig dieper op een zaak in te gaan, dan kunt u
voor ƒ 30,- max. 2 uur rechtshulp krijgen. Het bureau heeft bijzondere deskundigheid op het gebied rond woon-, werk-, uitkeringsproble-men en vreemdelingenrecht.

10 **Instituut Burgerraadslieden**
*Mr. H.P. Lohmann, mw. mr. J. Mons, mw. mr. W. Weernekers,* Breestraat 92, 2311 CV, tel. 167700.
Spreekuur: ma 11.00-12.00, do 18.30-20.00
15 uur. Op afspraak: di- en wo-morgen.
Telefonisch te bereiken: 9.00-12.30 uur.
De burgerraadslieden helpen inwoners van Lei-

den (kosteloos) gebruik te maken van rechten en voorzieningen op allerlei terreinen, bv. door
20 het schrijven van bezwaarschriften. Ook bemid-delen zij bij conflicten, behartigen zij uw belan-gen bij instanties of verwijzen zij naar een voor uw probleem terzakekundige hulpverlener. Het instituut houdt zich bezig met zowel algemene
25 hulpverlening als gespecialiseerde hulp bij vra-gen en problemen op het gebied van overheid en aanverwante instellingen. Hier heeft het insti-tuut tevens een signalerende taak, het opspo-ren van leemten in regelingen of voorzieningen.

30 **Meldpunt Discriminatie**
Herengracht 48, 2312 LE, tel. 120903.
Geopend: ma t/m vr 10.00-17.00 uur (liefst na tel. afspraak).

Uit: *Wegwijzer voor Leiden,* 1994-1995.

# E    7  Stekeligheden

De Consumentenbond is een organisatie die opkomt voor de belangen van consumenten in Nederland. Zij doet onder andere onderzoek naar producten, zij adviseert haar leden en zij geeft een blad uit, de *Consumentengids*. De rubriek 'Stekeligheden' bevat korte verhaaltjes over
5  dingen die verkeerd gingen tussen klanten en verkopers/leveranciers. U vindt de rubriek op de achterkant van de *Consumentengids*.

## Girobetaalkaarten

Druk, druk, druk. Een tweeverdienend stel uit
10  Arnhem reist elke dag op en neer voor een drukke baan en ziet geen kans om de girobetaalkaarten overdag bij het
15  postkantoor af te halen. Het gaat daarom in op het aanbod van de Postbank om de kaarten aangetekend te laten
20  bezorgen (*f* 11,–). En ja. Kort daarop vallen de kaarten in de brievenbus. Of toch niet? Het is een bericht: de postbode trof
25  niemand thuis en het setje betaalkaarten kan worden afgehaald bij het postkantoor… overdag.
    Dom, dom, dom.

30  *De Postbank raadt aan in zo'n geval de girobetaalkaarten op te laten sturen naar een postkantoor in de buurt*
35  *van de werkgever.*

## Senioren

Een oudere man reist met zijn seniorenkaart van de NS naar Harlingen. Hij wil
40  met de boot naar Terschelling en gaat daarvoor naar het loket van rederij Doeksen. Uiteraard wil de man voor
45  het seniorentarief van *f* 22,50 varen, maar dat gaat niet. Hij kan volgens de rederij niet aantonen dat hij ouder is dan 65: zijn
50  NS-kaart met geboortedatum is geen bewijs. Doeksen accepteert alleen een 65+-pas en vraagt het gewone tarief
55  van *f* 37,50 voor de overtocht.
    Nog een geluk dat de man zijn ouders niet hoefde mee te nemen.

Bron: *Consumentengids*.

# 10 Moet je niet doen, joh!

## A 1 Mislukt op school, geslaagd in het leven

Als ze het woord 'school' hoort, slaat ze beide handen voor haar gezicht. 'Die school heeft voor een verschrikkelijk nare tijd gezorgd. In mijn dromen komt het soms nog terug.' Tijdens de basisschool zat ze op vijf verschillende scholen en in zeven verschillende klassen. Ze haalde uiteindelijk het mavo-diploma. Nu is Eline Wassink een succesvolle begrafenisondernemer.

*interviewer* Je hebt de tijd op school echt als verschrikkelijk ervaren, hè? Hoe komt dat nou?

*Eline* Ach ja, het was de hele sfeer, alles eigenlijk. Strenge meesters en juffrouwen, vervelende kinderen... Ik herinner me bijvoorbeeld tussen de middag, als we ons brood opaten. Zodra de juffrouw even de klas uit was, begonnen al die kinderen elkaar te plagen. En niet leuk plagen hoor, nee, echt op een heel vervelende manier. Ze sloegen elkaar met vorken op het hoofd, er werden soms verschrikkelijk harde klappen uitgedeeld. Kwam de leiding dan weer binnen, dan was iedereen stil. Ik voelde me daar nooit lekker bij.

*interviewer* Je ouders werkten allebei in het onderwijs, maar in dat opzicht konden zij ook niets aan de situatie veranderen.

*Eline* Nee. Nou ... ze hebben wel veel gedaan om mij op de juiste plek te krijgen, maar uiteindelijk zat ik meer thuis dan op school. Dan had ik hoofdpijn of pijn in mijn buik, weet je wel. Maar eigenlijk kon ik er niet tegen weer tussen die plagende kinderen te zitten. Dat bracht veel spanning met zich mee. Wil je nog koffie, trouwens?

*interviewer* Ja, lekker.

*Eline* Alsjeblieft. Neem zelf even suiker. Weet je wat het is, op school is gewoon geen ruimte voor volwassen gedrag. Mijn sterke kanten, die bleven liggen ... Want dat waren dus niet optellen en vermenigvuldigen, hè. Ik weet nog, er was één meester die dat wél zag. Dat was in de laatste klas van de montessorischool, je weet wel, individueel onderwijs ... Hij schreef: 'Eline voelt zich zeer verantwoordelijk voor anderen. Zij lijkt daarin soms een volwassen persoon.' Die man die snapte me. Ik weet nog dat ik dacht: 'Hè, hè, eindelijk eens iemand die naar me kijkt en het nog goed ziet ook.'

*interviewer* Maar kon hij ook iets voor je doen?

*Eline* Nou en of. Ik mocht op school de gasten ontvangen, de telefoon aannemen, het geld naar de bank brengen, al dat soort dingen. Het was vanzelfsprekend dat ik dat deed. Het kon de andere kinderen ook niets schelen. En in die omgeving voelde ik me voor het eerst goed. Ik was iemand die iets kon.

*interviewer* Die dingen die je net noemde hè, gasten ontvangen, telefoon aannemen, die doe je eigenlijk nu ook.

*Eline* Ja, dat klopt. Maar het heeft wel even geduurd voordat ik zo ver was, hoor. [ondertussen gaat de telefoon] Momentje, graag.

40  Met Eline Wassink. ... Hé, hoe is het met jou? ... Eh Nel, kun je over een half uurtje even terugbellen, ik zit namelijk midden in een interview. ... Ja natuurlijk, kom maar even langs dan. ... Nou, over een half uurtje zijn we wel klaar. ... Nee, prima joh. Tot zo, hè. ... Ja, sorry hoor, daar ben ik weer.

*interviewer*  Eh... ja, nog één ding Eline. Volgens mij ben je zo langzamerhand een zeer
45  succesvolle begrafenisondernemer, klopt dat?

*Eline*  Ja, ik ben in dit vak heel erg goed. En ik heb mijn grenzen nog lang niet bereikt!

*interviewer*  Wat is jouw kracht in dit vak?

*Eline*  Geen zwarte jassen, alles kan. Ja ja. Ja, echt, dat vind ik belangrijk. Mensen moeten de begrafenis kunnen krijgen zoals ze die diep in hun hart wensen.
50  Willen ze een bijeenkomst in hun eigen tuin, dan zorg ik ervoor dat alles geregeld wordt. Er is maar heel weinig dat niet kan. Mijn mensen dragen geen zwarte maar donkerrode jassen. Ik houd niet van zo'n zwarte stemming, vreselijk vind ik dat. Met de familie van de dode bespreek ik alles, maar dan ook alles, heel uitgebreid. Ik wil dat iedereen na afloop tevreden is.

55  *interviewer*  Nou, tevreden zijn ze wel, als ik het zo hoor...

*Eline*  Ja. Veel mensen zeggen na afloop: 'Ik wist niet dat een begrafenis ook zo mooi kon zijn'. Dan ben ik tevreden, want daar doe ik het voor.

| | | | | |
|---|---|---|---|---|
| mislukken | ervaren | plagen | de montessorischool | langzamerhand |
| verschrikkelijk | de sfeer | de vork | individueel | de begrafenis |
| naar | de juffrouw | de klap | snappen | de stemming |
| de droom | de meester | de leiding | de gast | |
| succesvol | opeten | in dat opzicht | vanzelfsprekend | |
| de begrafenisondernemer | de klas | de spanning | de omgeving | |

## *Rekenen*

**optellen**  $7 + 10 = 17$  zeven **plus** tien **is** zeventien

**aftrekken**  $18 - 11 = 7$  achttien **min** elf **is** zeven

**vermenigvuldigen**  $13 \times 5 = 65$  dertien **keer/maal** vijf **is** vijf en zestig

**delen**  $20 : 4 = 5$  twintig **gedeeld door** vier **is** vijf

– Mijn sterke kanten, die bleven liggen...
Want dat waren dus niet optellen en vermenigvuldigen, hè.

– Kijk, je moet dit bedrag hiervan aftrekken.

– O ja, nu zie ik het.

**B**          **2   Kinderhoroscoop helpt ouders**

De 38-jarige Dorien Plet maakt horoscopen van kinderen:
van klein tot groot. Zij heeft hiervoor geen opleiding gevolgd.
Vroeger zat ze in de journalistiek, maar ruim tien jaar
geleden is zij met de astrologie begonnen en sinds de
5  geboorte van haar nu vijfjarige zoontje gaat ze helemaal op in
kinderhoroscopen.

**Ze luistert niet naar ons**
Via de horoscoop krijgt zij inzicht in het karakter en de
ontwikkeling van het kind. Daarmee hoopt ze de ouders te
10  helpen. Dorien: 'Ouders komen bijvoorbeeld met de vage
klacht dat hun kind steeds in zijn kamer op bed ligt: "Mijn
zoontje doet zo eigenaardig: hij weet niets te doen en verveelt
zich de hele dag."' Soms blijkt dan volgens Dorien uit de
horoscoop dat het kind net in een stille periode is en dat het
15  behoefte heeft in zijn eentje te zijn. Dat kan al een heleboel
verklaren. Meestal duurt zo'n fase maar heel kort en gaat het
wonderlijke gedrag vanzelf over. Andere ouders klagen dat ze
geen gezag meer over hun kinderen hebben: 'Ze luistert
helemaal niet naar ons.' Ook dat is meestal iets dat
20  voorbijgaat. Belangrijk is dat de ouders het kind een beetje
de ruimte geven en het niet dwingen in een richting die niet
bij hem of haar past. Dan wordt een kind ongelukkig.
Dorien krijgt felle kritiek uit de medische wereld, maar daar

trekt ze zich niets van aan. 'Ik heb nog nooit klachten gehad,
25  de ouders gaan tevreden naar huis en kunnen er wat mee
doen.'

**Lage prijs**

Het maken van een horoscoop kost veel tijd. Daarom maakt
Dorien slechts een gering aantal afspraken per week. 'Eerst
30  maken we telefonisch een afspraak. Daarna krijg ik per brief
de gegevens over geboortedatum, plaats en uur binnen. En
op het spreekuur ben ik gemiddeld anderhalf uur per consult
kwijt. Ik houd mijn prijzen laag: ik vraag 75 gulden per
consult. De gemiddelde prijs voor een astrologisch consult
35  ligt aanzienlijk hoger, zo tussen de 150 en 200 gulden.'
Dorien gaat binnenkort samenwerken met een psycholoog.
'Ik vertel hoe een kind in elkaar zit, maar ouders komen met
ontzettend praktische dingen, bijvoorbeeld een kind dat niet
wil eten of vreselijk slecht slaapt. Daar heb je advies van een
40  psycholoog voor nodig.'

Naar: *De Echo*, 10 oktober 1990.

| | | | |
|---|---|---|---|
| de kinderhoroscoop | vaag | voorbijgaan | aanzienlijk |
| opvoeden | de behoefte | dwingen | astrologisch |
| hiervoor | heleboel | gering | de psycholoog |
| de journalistiek | verklaren | telefonisch | praktisch |
| opgaan in | wonderlijk | kwijt zijn | |
| het inzicht | vanzelf | het consult | |

## *Verveling*

**Ik verveel me**          – Ik verveel me altijd dood op zondag.
                           – O, heb jij dat nou ook?

                           – Mijn zoontje doet zo eigenaardig: hij weet
                             niets te doen en verveelt zich de hele dag.
                           – Hoe lang is dat al zo?

**(Ik vind) … saai**       – Hoe was die film eigenlijk?
                           – Oh, vreselijk saai.

                           – Ik vond het zo'n saaie les vandaag.
                           – Ja, verschrikkelijk hè?

### *Het samengestelde werkwoord*

**Begint het werkwoord met *be-, er-, ge-, her-, ont-, over-* of *ver-*
en valt het accent niet op de eerste lettergreep? Dan krijgt het
voltooid deelwoord *geen 'ge-'* ervoor:**

| | |
|---|---|
| **beginnen** | Vroeger zat ze in de journalistiek, maar ruim tien jaar geleden is zij met de astrologie begonnen. |
| **bereiken** | – Meneer Korzeniowski, bent u tevreden over de wedstrijd van vandaag? <br> – Ja, zeker. Mijn roeisters hebben vandaag de top bereikt, dus wat wil je nog meer? |
| **ervaren** | – Je hebt de tijd op school echt als verschrikkelijk ervaren, hè? Hoe komt dat nou? <br> – Ach ja, het was de hele sfeer, alles eigenlijk. Strenge meesters en juffrouwen, vervelende kinderen... |
| **gebeuren** | In de tweede plaats zijn er opiniebladen. Die vertellen niet alleen wat er gebeurd is, maar ze geven ook allerlei achtergrondinformatie over het hoe en waarom van bepaalde acties. |
| **ontmoeten** | – Waar hebben jullie elkaar voor het eerst ontmoet? <br> – Op de kermis in Rotterdam. Leuk hè? |
| **vertellen** | – Heb je hem al verteld dat je op Rens verliefd bent? <br> – Nee, nog niet. |

## C   3   De studie, daar draait het allemaal om

Al weer vele jaren geleden zetten Radjin (43) en Vera (42) de eerste stap in
Nederland. Gedurende twintig jaar is er hard gewerkt en carrière gemaakt.
Radjin is maatschappelijk werker en Vera doet administratief werk. Ze wonen
sinds kort aan de rand van een fraaie, nieuwe wijk. Een tuin voor en achter,
5   auto's kunnen ruim geparkeerd worden, hier en daar verschijnt er wat groen
rondom de huizen. Op straat heerst absolute stilte. De kinderen (Ricardo van
veertien en Marleen van zes jaar) vervelen zich en denken vaak terug aan het
lawaai van hun oude buurt, waar altijd wel iets te beleven viel. Ricardo zit op
de bank naar het journaal te kijken terwijl zijn ouders praten over de
10   opvoeding van hun kinderen. 'Vind je blonde meisjes leuk?' vraagt Vera, en
ze kijkt naar Ricardo. Ze wacht zijn antwoord niet af. 'Nee toch?' zegt ze.

*Radjin:* 'De gemiddelde
Hindoestaanse familie voedt
de dochter heel streng op en
15   geeft de zoon wat meer ruimte.
Dat betekent uiteraard niet dat
de zoon alle vrijheid van de
wereld krijgt. Ik zelf
bijvoorbeeld, ik moest echt
20   kruipen voor mijn vader. Ik
werd door mijn moeder met de
riem geslagen. Soms ging mijn
zus ermee verder. Tot mijn
twintigste heb ik geen enkele
25   keer ergens anders geslapen
dan thuis. Over persoonlijke

Familie Choenni

problemen kon ik met mijn ouders niet praten. Het was ook niet de
gewoonte om dat te doen. Toen ik naar Nederland kwam, liet ik dat
leven in Suriname achter.
30   Zelf gebruik ik zeker niet de riem voor mijn kinderen. En ik stimuleer
mijn kinderen om met mij te praten, al is dat in de praktijk niet altijd even
makkelijk. We proberen hen ook bij zo veel mogelijk dingen te betrekken.
Maar ik zal niet doen alsof de hele Hindoestaanse opvoeding er niet is,
hoor. Marleen zal vanzelfsprekend minder vrij zijn, Ricardo mag nooit
35   "rot op" tegen mij zeggen. Kinderen moeten beleefd zijn tegen hun
ouders. Ze zullen allebei zeker tot het einde van hun studie moeten
wachten, voordat ze naar een man of vrouw mogen kijken. Die dingen
houden wel degelijk verband met onze eigen Hindoestaanse opvoeding.'

*Vera:* 'Eigenlijk draait het allemaal om de studie. Het Hindoestaans en de
40   godsdienst - dat komt later wel. In Suriname heb je geen mogelijkheden,
hier wel. Die moet je dan ook pakken. Ik wil graag dat mijn kinderen naar
de universiteit gaan. En  eh… als we het financieel nou ook kunnen
opbrengen, waarom dan niet? Misschien is de werkelijkheid straks anders,
maar je kunt er toch naar streven, ja toch? Ik zie zo veel knappe
45   Hindoestaanse meisjes op straat. Ze zitten op het vbo. De hele dag lopen
ze achter jongens aan, ze denken niet aan hun toekomst. Ik heb nichten
die studeren. Die meisjes hebben niet eens tijd om naar jongens te kijken.
Ze hebben het hartstikke druk met hun studie. Nee hoor, een kind moet
leren, tenzij het niet goed leren kan natuurlijk. Maar tegen de kinderen
50   zeg ik altijd "Je moet goed je huiswerk maken". Het Hindoestaans moet
maar een tijdje wachten. Vrienden van ons vroegen laatst nog om advies

over Hindoestaanse les, maar dan zeg ik "Als ik jullie was, zou ik het niet
doen. Wat heb je eraan?" Je moet de taal spreken die je nodig hebt voor je
school, je studie en je carrière. In die tijd kunnen ze beter hun huiswerk
55  maken.'

Naar: *de Volkskrant*, 12 augustus 1995.

| | | | | |
|---|---|---|---|---|
| gedurende | heersen | kruipen | oprotten | opbrengen |
| de carrière | rondom | de gewoonte | beleefd | de werkelijkheid |
| de maatschappelijk werkende | de stilte | stimuleren | wel degelijk | streven naar |
| de rand | de opvoeding | de praktijk | het verband | knap |
| fraai | uiteraard | betrekken bij | financieel | |

## *Een advies geven*

**Ik zou ... (niet)**

– Welke appels zijn het lekkerst?
– Ik zou die Jonagolds nemen, die zijn lekker zoet.

– Ik zou niet langer op Peter wachten, hoor.
– Ja, maar we hebben toch een afspraak?

**Je moet ... (niet)**

Tegen de kinderen zeg ik altijd 'Je moet goed je huiswerk maken'.

Het Hindoestaans moet maar een tijdje wachten.

– Ik ga een tweedehands computer kopen.
– Moet je niet doen, joh.

**Als ik jou was, (dan) ...**

– Het is wel een prachtige kamer, hè?
– Ja, als ik jou was, dan nam ik hem.

Vrienden van ons vroegen laatst nog om advies over individuele
Hindoestaanse les, maar dan zeg ik 'Als ik jullie was, zou ik het niet doen.
Wat heb je eraan?' In die tijd kunnen ze beter hun huiswerk maken.

*Let op:*
**Als ik jou was, (dan)** + *onvoltooid verleden tijd*
Als ik jou was, dan nam ik hem.
Als ik hem was, ging ik helemaal niet.

**Als ik jou was, (dan)** + *zou ik ... (niet)* + *infinitief*
Als ik jou was, dan zou ik maar lekker weggaan.
Als ik jullie was, zou ik het niet doen.

## *Tenzij*

**Tenzij = maar niet als**

In de zomer ga ik vaak zwemmen, tenzij het te koud is.
Nee hoor, een kind moet leren, tenzij het niet goed leren kan natuurlijk.
Ik neem wel een taxi naar Annemarie en Eco, tenzij er meteen een bus gaat.

*Let op:* tenzij (vw) + bijzin

In de zomer ga ik vaak zwemmen, tenzij het te koud is.
Nel gaat mee, tenzij haar moeder nog komt.

**D**       **4**    **Wat eet je op een dag?**

Annemarie is tien jaar en ze heeft opgeschreven wat ze
dinsdag heeft gegeten en waarom ze dat heeft gegeten.

*'s morgens:*
twee bruine boterhammen met
margarine: één met jam en één met
kaas, een kopje thee met één schepje
suiker.
**omdat:**
ik dat elke morgen eet.
ik jam heel lekker vind
en mijn moeder zegt dat
kaas goed voor me is.

*op weg naar school:*
twee dropjes
**omdat:**
Barbara die me gaf.

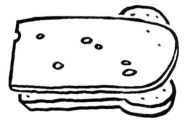

*pauze:*
pakje schoolmelk
een appel
**omdat:**
ik dat altijd drink.
ik die altijd meekrijg van thuis.

*'s middags:*
drie bruine boterhammen met
margarine, één met ei, één met
ham en één met hagelslag.
één stukje suikervrije kauwgom.
**omdat:**
ik ontzettende honger heb als ik
uit school kom.
ik mijn tanden dan niet hoef te
poetsen.

*uit school:*
kopje thee met suiker en twee
koekjes
**omdat:**
er bezoek is en er van alles
op tafel staat.

*wat later:*
een dunne reep chocola
**omdat:**
Pieter en ik daar zin in hadden en
we samen genoeg zakgeld hadden
om een reep te kopen.

*'s avonds:*
een bord friet met kip en sla
twee glazen cola
**omdat:**
mijn vader dat elke dinsdag kookt
omdat mijn moeder dan ook werkt
en anders krijgen we nooit cola,
want dat vindt zij te duur.

*later:*
een glas limonade en twee
snoepjes
**omdat:**
mijn vader dat goed vindt, en we
dan stil zijn als hij naar het nieuws
kijkt.

| | | | | |
|---|---|---|---|---|
| opschrijven | de schoolmelk | suikervrij | de reep | de limonade |
| de margarine | meekrijgen | de kauwgom | de chocola | het snoepje |
| de schep | poetsen | het koekje | het zakgeld | |
| het dropje | de hagelslag | dun | de kip | |

## Graduering (2)

**heel**

Ik eet een bruine boterham met jam omdat ik jam heel
lekker vind.

**hartstikke**

Die meisjes hebben niet eens de tijd om naar jongens te
kijken. Ze hebben het hartstikke druk met hun studie.

**verschrikkelijk**

Die school heeft voor een verschrikkelijk nare tijd
gezorgd. In mijn dromen komt het soms nog terug.

**ontzettend**

Wat zijn die kinderen ontzettend vervelend!

**SIGMUND** Peter de Wit

Bron: *de Volkskrant*, 1995

**E** **5 Arbeidsmarkt-barometer**

Hoe 'scoren' de verschillende HBO-pleidingen voor fysiotherapie,
ergotherapie en bewegingstechnologie in Nederland? Lees onderstaande
informatie en trek uw conclusies!

## HBO fysiotherapie-ergotherapie-bewegingstechnologie

• **14 Opleidingen** bij 12 hogescholen.

• Aantal voltijd studenten: **5570** (hbo totaal: 200.000).

• Gemiddeld salaris per maand:
fysiotherapie **3610 gulden**
ergotherapie **2890 gulden**

• Werkloosheidspercentage:
ergotherapie: **1,7 %**
fysiotherapie: **3,8 %**
(hbo totaal: **4 %**)

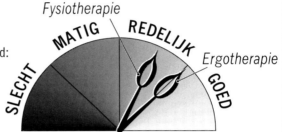

**ARBEIDSMARKTBAROMETER**
*(kansen op werk tot 1998)*

### KWALITEIT VAN DE OPLEIDING

**GOED**
**Hogeschool Amsterdam** (ergotherapie), **Hogeschool Utrecht** (fysiotherapie),
**Hogeschool West-Brabant** (fysiotherapie), **Hogeschool Eindhoven**
(fysiotherapie), **Hanzehogeschool Groningen** (fysiotherapie).

**REDELIJK**
**Hogeschool Leiden** (fysiotherapie), **Hogeschool Enschede** (fysiotherapie),
**Haagse Hogeschool** (bewegingstechnologie).

**MATIG**
**Hogeschool Amsterdam** (fysiotherapie), **Hogeschool Heerlen** (fysiotherapie),
**Hogeschool Heerlen** (ergotherapie), **Internationale Academie Thim van der
Laan** (fysiotherapie), **Hogeschool Nijmegen** (fysiotherapie), **Hogeschool
Rotterdam en omstreken** (fysiotherapie).

**SLECHT**
-

210995 © de Volkskrant. Bronnen: HBO-Monitor, ROA, Visitatierapport

**E**   **6** **Advertentie**

**Top of mind**
bij zo'n
**600.000**
academici, HBO-ers
en MBO-ers.

*L e e r g e l d*

Woensdag 17 april verschijnt Leergeld: de jaarlijks terugkerende Volkskrant-bijlage over de stand van zaken op de opleidingenmarkt. Uw advertentie in Leergeld mag rekenen op de warme belangstelling van meer dan 220.000 academici, 235.000 HBO-ers en ruim 130.000 MBO-ers. Bovendien wordt Leergeld verspreid in een extra oplage van 45.000 exemplaren.

Reserveer direct of informeer naar de advertentiemogelijkheden in Leergeld. Bel Perscombinatie Advertentiebedrijf, Personeels- & Opleidingsadvertenties: (020) 5622632 of (020) 5622634.

**deVolkskrant**

# 11 Dat is interessant!

## A  1  Tussen droom en daad

Kunstenaars oefenen hun beroep soms uit op de meest
vreemde plaatsen: in fabrieken, bossen en parken, maar ook
in brugwachtershuisjes. Schrijver Sadik Yemni werkte acht
jaar als brugwachter bij de Nederlandse Spoorwegen en

5   woonde in een brugwachtershuisje ergens buiten Breukelen.
Daar schreef hij zijn boeken. We gingen met hem nog een
keer terug naar die plek. Luistert u naar het gesprek met
Sadik Yemni.

*interviewer*   Meneer Yemni, hoe beviel het u hier?

10  *Sadik Yemni*   O, prima. Toen ik hier voor het eerst kwam,  acht jaar
geleden nu, werd ik gelijk verliefd op deze plek. Het leek me
goed om mij hier voor een tijd te vestigen. Thuis werd ik
gebeld of er kwamen mensen op bezoek. Hier zag ik soms
dagen niemand. Ik kon de hele dag lezen, denken, dromen

15  en schrijven. Ik houd van de stilte. Vooral 's winters, nou
dan dringt hier nauwelijks geluid door. Stel je voor: een
winterdag, mist, geen enkel geluid, stilte, slechts af en toe het
lawaai van een naderende trein. Je bestaan is teruggebracht
tot een paar vierkante meter.  Zitten, zitten en schrijven.

20  Maar een hele dag schrijven is wel lang, hoor. Om inspiratie
te krijgen liep ik regelmatig over een niet meer gebruikt spoor
van een paar honderd meter. Daar deed ik precies zestien
minuten over. Elk idee dat ik daar kreeg, noteerde ik
zorgvuldig.

25  *interviewer*   Schrijft u makkelijk?

*Sadik Yemni*   Soms krijg ik geen letter op papier, maar als ik maar eenmaal
de kern van het verhaal op papier heb staan, ben ik zo klaar.
Dan pak ik m'n pen en schrijf ik door tot ik niet meer kan.

*interviewer*   Wat leest u zelf graag?

30  *Sadik Yemni*   Ik lees zelf graag boeken van Borges. Die is heel interessant.
Ik beschouw hem als mijn grote voorbeeld. Een tijd lang heb
ik mezelf moeten verbieden om zijn romans te lezen, omdat
ik er te veel door werd beïnvloed. Maar dat is nu over.

*interviewer*   Waarom heeft u het brugwachtersbestaan opgegeven?

35  *Sadik Yemni*   Het was een tamelijk eenzaam bestaan. Soms kwamen de
muren op mij af. Ik vrees dat ik geestelijk kapot was gegaan
als ik langer was gebleven. Op een gegeven moment werden
zowel mijn Turks als mijn Nederlands slechter. Ik vergat

bepaalde uitdrukkingen. Sinds die tijd lees ik hardop. Aristoteles,
40  Descartes. Het lezen van filosofische teksten is goed voor je taal. Verder
lees ik veel kranten en tijdschriften.

Sadik Yemni schreef onder andere twee boeken over de omstandigheden
waaronder veel Turken in Nederland leven. Zijn nieuwste boek, *De amulet*,
is een horror-mysteriethriller. Pure fictie dus. *De amulet* is zijn eerste boek
45  dat ook in Turkije uitkomt. Het is bovendien ook de eerste thriller in
Turkije. De laatste jaren zien we dat er steeds meer Turkse literatuur in het
Nederlands wordt vertaald. Sadik Yemni is daar blij mee. De kwaliteit
wordt steeds beter. Twee jaar geleden nog is Turkijes grootste dichter
Nâzim Hikmet vertaald. Een probleem is wel dat er vrijwel geen aandacht
50  voor is in de kranten en op de tv. Daarom worden zulke boeken zo slecht
verkocht en komen ze nog steeds in de ramsj terecht.

Naar: *Schuim en as*, NCRV, Radio 5, 27 april 1995 en *VPRO-gids*, week 17, 1995.

| | | | | |
|---|---|---|---|---|
| de daad | doordringen | de pen | vrezen | vertalen |
| de kunstenaar | de winterdag | beschouwen (als) | geestelijk | voldoende |
| uitoefenen | naderen | mezelf | de uitdrukking | de kwaliteit |
| het brugwachtershuis | het bestaan | de roman | hardop | vrijwel |
| de schrijver | terugbrengen | beïnvloeden | filosofisch | de ramsj |
| de brugwachter | de inspiratie | het brugwachtersbestaan | de horror-mysteriethriller | |
| gelijk | zorgvuldig | eenzaam | puur | |
| zich vestigen | de letter | de muur | de fictie | |
| dromen | de kern | afkomen | de literatuur | |

**B**     **2   Afrikaanse Sint Pieter**

De paus van Rome heeft in 1989 een enorme basiliek ingewijd die
gebouwd is in een heel klein dorpje in Ivoorkust (West-Afrika).

De president van Ivoorkust, Félix Houphouët-Boigny, is geboren in
Yamoussoukro en hij heeft in 1983 besloten dat dat de hoofdstad van zijn
5  land moest worden. Daarom heeft hij daar een enorme stad willen
bouwen voor een miljoen mensen, met grote pleinen en brede straten. Er
zijn grote gebouwen neergezet zoals een universiteit, een hotel (*le
Président* geheten!) en een basiliek: Notre-Dame-de-la-Paix.
De basiliek lijkt op de Sint Pieter in Rome, maar is aanzienlijk groter en
10  daardoor de grootste basiliek ter wereld. Hij heeft 188 zuilen, waarvan
sommige meer dan twintig meter hoog zijn en 7000 vierkante meter

ramen. Met zijn 159 meter steekt de basiliek boven alle gebouwen uit en is uit alle delen van de stad zichtbaar. Hij heeft zo'n veertig miljoen gulden gekost.

15   De paus heeft lang geaarzeld of hij dit gebouw, dat hem werd aangeboden, wel moest accepteren. Er was immers veel kritiek op gekomen: een kerk die zo veel heeft gekost in een land waar de verschillen tussen arm en rijk enorm zijn en waar de grote massa geen voedsel heeft. De president heeft weliswaar gezegd dat hij alles uit eigen zak betaald heeft, maar dat wordt

20   niet door iedereen geloofd. Uiteindelijk is de Heilige Vader toch gekomen om de basiliek in te wijden. Hij heeft wel als voorwaarde gesteld dat er ook een ziekenhuis gebouwd wordt in Yamoussoukro.

Ofschoon de bezwaren van de paus begrijpelijk waren, zou het niet verstandig zijn geweest van hem om dit cadeau niet aan te nemen, want

25   in Afrika groeit het aantal katholieken sneller dan in andere delen van de wereld.

Dit geldt overigens ook voor de islam. Vooral in de Sahel-landen neemt
het aantal islamieten toe. In Casablanca heeft de Marokkaanse koning
Hassan de Tweede een van de grootste moskeeën laten bouwen, met op
30   de minaret een laserstraal die naar Mekka wijst. En ook in Yamoussoukro
staat een grote moskee, die evenals de basiliek door president
Houphouët-Boigny is gebouwd.
Ondanks het feit dat de economische situatie in Afrika slecht is, worden
zo miljoenen guldens besteed ter ere van God en de grote leiders.

Naar: *Onze Wereld*, mei 1989.

| de paus | breed | zichtbaar | de voorwaarde | de katholiek | evenals |
|---|---|---|---|---|---|
| de basiliek | neerzetten | accepteren | het bezwaar | overigens | ter ere van |
| inwijden | ter | arm | begrijpelijk | de islam | de leider |
| de president | de zuil | de massa | verstandig | de islamiet | |
| de hoofdstad | uitsteken | het voedsel | het cadeau | de laserstraal | |
| het plein | het deel | heilig | groeien | de minaret | |

## Contrast (2)

| | |
|---|---|
| **hoewel** | Ik gebruik altijd die groene fiets, hoewel hij van mijn vader is. |
| | Hoewel er veel kritiek was op het bezoek van de paus aan de nieuwe basiliek in Yamoussoukro, is hij toch gegaan. |
| **ofschoon** | Ze gaat met de trein naar haar werk, ofschoon ze een auto heeft. |
| | Ofschoon de bezwaren van de paus begrijpelijk waren, zou het niet verstandig zijn geweest van hem om dit cadeau te weigeren. |
| **ondanks (het feit) dat** | Ondanks dat hij erg ziek is, is hij altijd vrolijk. |
| | Ondanks het feit dat de economische situatie in Afrika slecht is, worden zo miljarden guldens besteed ter ere van God en de grote leiders. |
| **weliswaar ... maar** | Deze kamer is weliswaar duurder, maar ook mooier. |
| | De president heeft weliswaar gezegd dat hij alles uit eigen zak betaald heeft, maar dat wordt niet door iedereen geloofd. |

*Let op:* hoewel, ofschoon, ondanks (het feit) dat + bijzin
Ik gebruik altijd die groene fiets, hoewel hij van mijn vader is.
Ofschoon ze een auto heeft, gaat ze met de trein naar haar werk.

## C   [≡] 3   Toneelvereniging Vondel

Uitgeest, een dorpje in Noord-Holland, heeft twee toneelverenigingen, voorzien van de namen *Vondel* en *Genesius*. *Vondel*, opgericht op 2 oktober 1872, is de protestantse club, *Genesius* was katholiek. Vroeger hadden de dominee en de pastoor daar nog een behoorlijke vinger in de pap. Dit
5   voorjaar speelden de clubs samen het toneelstuk 'Anne Frank'. Voor het najaar moet er een komisch stuk geoefend worden.

*Tante An*   Ja, want dan wordt er in het dorp gezegd: 'Zeg tante An, de volgende keer willen we weer eens lachen, hoor.' Nou ja, daar zorgt tante An dan voor.

Tante An is An van Hoolwerff, 61 jaar, voorzitter en oudste lid van de
10   vereniging, al 41 jaar nu.

*interviewer*   U bent zo ongeveer de belangrijkste persoon bij Vondel, geloof ik.
*Tante An*   Nee hoor. De belangrijkste persoon bij ons is altijd de souffleur.
*interviewer*   Waarom bent u bij het amateurtoneel gegaan?
*Tante An*   Omdat ik van toneel houd, en voor de gezelligheid natuurlijk. *Vondel* is
15   echt een heel gezellige club. Nou ja, dat merkt u zelf wel.

| interviewer | Wat voor mensen worden er nou lid van een toneelvereniging? |
| Tante An | O, allerlei mensen. De meesten werken overdag: er zit een caissière bij, een leraar, een militair, een ingenieur. Soms zitten er hele families in: moeder speelt een mooie rol, vader timmert het decor, dochter speelt misschien volgend seizoen een rolletje en het zoontje doet de administratie op zijn computer. |
| interviewer | U hebt al in heel wat toneelstukken gespeeld. Houdt u nou het meest van komische stukken of speelt u liever een andere stijl? |
| Tante An | Nou, ik ben dus helemaal niet zo gek op komische stukken. Ik heb liever een echt toneelstuk met een mooie inhoud. Zoals een stuk dat we ook eens hebben gespeeld. Dat gaat over een rijke vrouw die haar geld heeft verborgen in een oude pop. Door haar kinderen wordt ze in een inrichting gestopt omdat ze haar geld willen afpakken. Dat is toch niet meer van deze tijd, dacht ik altijd, totdat ik een verhaal las over een vrouw uit een rijke familie die door haar kinderen helemaal gek gemaakt werd, omdat ze geld had. Zoiets gebeurt dus nog steeds. Vanaf dat moment heb ik me helemaal proberen in te leven in zo'n vrouw. Ik heb zelf ook vier zonen, moet u weten. Vier zonen ... |

20

25

30

Naar: *de Volkskrant*, 14 september 1990.

| | | | |
|---|---|---|---|
| de toneelvereniging | het voorjaar | de gezelligheid | verbergen |
| voorzien van | het najaar | de leraar | de pop |
| oprichten | komisch | de militair | de inrichting |
| de dominee | de souffleur | de ingenieur | afpakken |
| de pastoor | het amateurtoneel | de stijl | zich inleven (in) |
| behoorlijk | het toneel | de inhoud | |

## C  4  Op het toneel

De wereld is een speeltoneel,
Elk speelt zijn rol en krijgt zijn deel.

*Joost van den Vondel*

het speeltoneel

Uit: *Domweg gelukkig, in de Dapperstraat.*
De bekendste gedichten uit de Nederlandse literatuur.
Bijeengebracht en ingeleid door C.J. Aarts en M.C. van Etten.
Ooievaar Pockethouse, Amsterdam 1995

## *Passieve zinnen (2)*

**We gebruiken 'er' in passieve zinnen:**
**– als er geen duidelijk onderwerp is;**
**– als het onderwerp onbepaald is.**

Er werd hard gelachen tijdens de voorstelling.
Ja, want dan wordt er in het dorp gezegd: 'Zeg tante An, de volgende keer willen we wel weer eens lachen, hoor.'
Er is een boek voor je gebracht.
Er zijn grote gebouwen neergezet, zoals een universiteit, een hotel en een basiliek.

*Let op:* de voltooide tijd wordt gevormd met **'zijn'+ deelwoord**

|        | **Passief**                | **Actief**                       |
|--------|----------------------------|----------------------------------|
| o.t.t. | Het formulier wordt ingevuld. | Ze vult het formulier in.        |
| o.v.t. | Het formulier werd ingevuld.  | Ze vulde het formulier in.       |
| v.t.t. | Het formulier is ingevuld.    | Ze heeft het formulier ingevuld. |
| v.v.t. | Het formulier was ingevuld.   | Ze had het formulier ingevuld.   |

Wordt er bij jou op het werk ook zoveel gerookt?
Er werd hard gelachen tijden de voorstelling.
Er is zeker niets verteld over het ongeluk?
Er was een prachtig decor gemaakt.

## D    5   Kleuren, vlakken en lijnen

Piet Mondriaan werd in 1872 geboren in Amersfoort. Ruim zeventig jaar later, in 1944, stierf hij. Mondriaan werd vooral beroemd door zijn schilderijen waarop vlakken met felle kleuren te zien zijn. Die vlakken worden gescheiden door strakke lijnen.
5   Nu, vijftig jaar na zijn dood, is Mondriaan over de hele wereld beroemd. Zijn vlakken en lijnen kom je overal tegen. Op overhemden, papier, gordijnen, flesjes, agenda's, enz. Sommige mensen  zeggen dat Mondriaan een verkoopproduct is geworden waar veel geld mee verdiend wordt, zonder dat er
10   interesse is in de kunstenaar.

### De kunstenaar
Als hij twintig jaar is, verhuist Piet Mondriaan naar Amsterdam. Daar studeert hij enige jaren. Later leeft hij vooral

van het schilderen van portretten. In 1907 komt hij in
15  Overijssel terecht. Hij schildert vooral 's avonds als het donker
wordt. Juist dan zijn bepaalde details niet meer zo goed te zien,
alleen het verschil tussen licht en donker is nog goed waar te
nemen. Dat verschil is belangrijk in zijn schilderijen.

### Felle kleuren

20  Een jaar later vertrekt hij naar Zeeland, waar hij de natuur
schildert. Omdat volgens hem de kleuren in de natuur niet
na te schilderen zijn, vervangt hij ze door fel rood, blauw,
groen en geel. Mondriaan wordt beroemd en reist over de
hele wereld. In grote steden zoals Parijs ontmoet hij andere
25  kunstenaars.
Tijdens de Tweede Wereldoorlog wordt een gedeelte van zijn
huis verwoest. Door deze gebeurtenis wil hij niet meer in
Nederland wonen. Hij vertrekt naar New York, waar hij
kennismaakt met moderne muziek zoals jazz. Hij probeert de
30  kracht van de muziek in zijn schilderijen te laten zien, in de
vorm van lijnen en vlakjes, op zo'n manier dat het lijkt alsof ze
bewegen.
In 1944 wordt hij ziek. Twee maanden later sterft hij.

Naar: *De Toonzetter*, september 1994.

het vlak
het schilderij
strak
de dood
het verkoopproduct
het portret
waarnemen
vervangen
het gedeelte
verwoesten
de gebeurtenis
de jazz

E               6   **CJP scheelt**

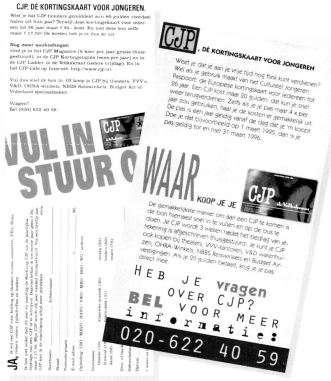

E        [icon]   7   **De 100-jarige**

'Is vader thuis?' vroeg ik aan het oude mannetje, dat open
deed. Hij knikte, en liet mij in een kamertje waar een nóg
ouder mannetje zat, dat al bijna dood was. Haastig rukte ik
een spreekhoorn van de wand en schreeuwde in zijn oor: 'wel
5   gefeliciteerd!'
'U bent abuis,' zei de oude man met doffe stem, 'vader is
boven.'
Ik vloog de trap op, want ik begreep, dat het nu een kwestie
van seconden was. Daar hing de honderdjarige aan de
10   touwen: hij was bezig een vogelnestje te maken. Ik kroop
bijna in zijn oor en gilde: 'wel gefeliciteerd!!' De jubilaris
schudde het hoofd, maakte een dubbele salto en sprong op
de grond. 'Ik ben niet doof,' zei hij, zijn jas aantrekkend, 'ik
ben alleen maar oud. Wat is er aan de hand?'

15 'Bent u niet honderd jaar geworden?!' brulde ik.
'Man, schreeuw niet zo,' sprak de grijsaard, de ringen
optrekkend, 'ik weet het heus wel. Vanavond komt de
burgemeester met een schemerlamp en een enveloppe met
inhoud. Die schemerlamp kan me niet schelen, maar die
20 enveloppe interesseert me. Wat doen ze daar gewoonlijk in?'
Ik wist het niet. 'Waarvoor komt u eigenlijk?' vroeg het
mannetje wrevelig, 'komt u iets aanbieden?'
'Ik kom iets vragen,' zei ik, 'vooreerst: hoe bent u zo oud
geworden?'
25 'Het ging vanzelf,' antwoordde de jubilaris, 'elk jaar word je
een jaar ouder, dat ligt in de natuur der dingen. Toen ik
zeventig was, was ik zeventig, en toen ik tachtig werd, was ik
tachtig. En zo maar door tot honderd.'
'Doet u er iets voor?'
30 'Neen, ik doe er niets voor, het gaat vanzelf. Dat is het leuke
van dit soort werk.'
'Wist u, dat u het zou halen?'
'In het begin niet, maar later begon ik het in de gaten te
krijgen. Toen ik negentig werd, ging ik de
35 overlijdensberichten in de kranten nakijken; ik knoopte
vriendschap aan met de portier van het oude-mannenhuis,
en zo kon ik de stand op de voet volgen. Doorzetten, dacht
ik, de tanden op elkaar. En jawel hoor, ik haalde het.'

'Waaraan schrijft u het toe?'
40  'Het is een kwestie van geduld. De aanhouder wint, wie het
laatst lacht, lacht het best, eind goed al goed, in die richting
moet u het zoeken.'
'Wanneer kreeg u het eigenlijk in de gaten?'
'Precies is dat niet te zeggen. Toen ik zeventig werd, was ik
45  nog een onbetekenend mannetje, mijn tijd moest nog
komen. Mijn tachtigste verjaardag was zelfs een dieptepunt:
niemand begreep waarom ik niet doodging, en – ik wou niets
loslaten. Maar toen kwam ik langzaam aan opzetten. Op
mijn negentigste begonnen de mensen me na te wijzen, en op
50  mijn vijfennegentigste had ik de moeilijkheden achter de rug.'
'Hebt u concurrenten?'
'Er wonen een paar negentigers in de stad, maar ik houd ze
nauwlettend in het oog. Als er een jarig is, stuur ik hem een
kaartje, met mijn leeftijd erop. Dat haalt de fut er wel uit op
55  den duur.'
'Hebt u plezier in uw werk?'
'O ja. Het aardige van ons vak is, dat, als je eenmaal een jaar
vóór ligt, je niet meer bent in te halen, al doet de ander nog
zo zijn best. Elk jaar dat hij ouder wordt, win ik er ook een,
60  en zo kunnen ze niet inlopen. Dat knakt ze op den duur.'
'Maar hetzelfde gevoel hebt u toch tegenover degenen, die
boven u liggen?'
'Zeker. Maar het zijn er maar drie. Inhalen kan ik ze niet;
maar ik kan wachten. En intussen houd ik ze in de gaten. De
65  weduwe Boltjens uit Schiedam is 102. Goed. Maar gisteren
begon ze te hoesten. Dan heb je de oud-zouaaf Serremans in
Bolsward. Een taaie bliksem. Maar hij woont op het
noorden, op een hoek. Dan heb je Van Loggem uit Venlo
met dat houten been. Die heeft een voorsprong, want dat
70  andere been, daar heeft hij geen omkijken meer naar. Maar
hij heeft sinds de vorige week een bril nodig voor zijn kleine
lettertjes en een bril, dat weten wij, honderdjarigen, onder
elkaar, is het begin van 't einde.'
'Wat doet u als u bovenaan staat?'
75  'Dan schei ik er mee uit. Het is er mij niet om te doen de
markt te bederven, het jonge volk moet ook een kans
hebben.'

Uit: Godfried Bomans, *Kopstukken*. 27e druk. Elsevier – Amsterdam/Brussel, 1983.

# 12 Dat is bij ons niet het geval

# A    🔲 **1**    Nederland en de Nederlanders

Hier volgen enkele meningen van buitenlanders over
Nederland en de Nederlanders.

Enrico    'Het is moeilijk iets te zeggen over alle Nederlanders, omdat het
land twaalf provincies heeft en in elke provincie wonen andere
5    mensen. In het noorden wonen rustige en eerlijke mensen. Als
iemand uit het noorden zegt dat hij je zijn vertrouwen schenkt,
dan meent hij dat ook. In het westen wonen vrolijke en
nieuwsgierige mensen. Op het eerste gezicht maken ze gauw
vrienden, maar dat duurt helaas niet lang: als je ze nodig hebt,
10    zijn ze je vrienden niet meer. In het zuiden wonen mensen die
gezellig zijn en van feesten houden. Dat zijn de aardigste
Nederlanders, althans dat vind ik.'

Cliff    'Om zes uur 's avonds is er dus de nationale maaltijd en dan hoef
je bij niemand langs te komen. Ben je toevallig om die tijd toch
15    bij iemand, dan wordt er gewacht met eten tot je weg bent.
Gasten komen nooit toevallig maar worden altijd uitgenodigd.'

Yasmin    'Nederland heeft ook veel bescheiden mensen. In Marokko is
het heel bijzonder als je een arts kunt spreken. Maar in
Nederland zie je vaak dat mensen die heel belangrijk werk
20    doen, toch gewone mensen blijven.'

Feiza    'Het was voor mij een verrassing om te zien hoeveel honden en
poezen er in Nederland zijn, soms krijg ik de indruk dat ieder
mens een dier heeft. Ik denk voor de veiligheid maar ook voor de
gezelligheid: dieren worden vaak als mensen behandeld. Als het
25    koud is, zie je honden met mutsen op en dassen om. Laatst zag
ik zelfs een dierenambulance rijden. Dat is wel raar als je dat ziet
en je bedenkt dat er in je eigen land een groot gebrek aan
ziekenauto's voor mensen is. Dan is voor je gevoel het verschil
wel erg groot.'

30    Omar    'Als je op straat loopt, zie je veel sombere en maar weinig vrolijke
gezichten: bijna niemand lacht en de mensen zien er vaak moe
uit. Veel mensen zijn niet tevreden over hun situatie. In mijn
land, daar zijn de mensen arm maar ze lachen veel. Dat mis ik
hier wel.'

*Beata*     'In Nederland ben je in de gelukkige positie dat je kunt studeren
35          en lezen wat je wilt. En als je een mening hebt, kun je die gewoon
            hardop zeggen zonder bang te zijn. Dat is jammer genoeg bij ons
            niet het geval.'

| | | |
|---|---|---|
| de provincie | de verrassing | gebrek aan |
| het vertrouwen | de poes | de ziekenauto |
| schenken | de indruk | de positie |
| althans | de gezelligheid | |
| bescheiden | de dierenambulance | |

### *Teleurstelling*

**jammer genoeg**     En als je een mening hebt, kun je die gewoon hardop
                      zeggen zonder bang te zijn. Dat is jammer genoeg bij
                      ons niet het geval.

                      Jammer genoeg hebben wij geen huisdier; ik zou het
                      leuk vinden om een poes te hebben.

**helaas**            Op het eerste gezicht maken ze gauw vrienden, maar
                      dat duurt helaas niet lang: als je ze nodig hebt, zijn ze
                      je vrienden niet meer.

                      'Helaas zijn de Nederlanders niet zo gastvrij,' zegt Cliff.

## B     2   Dialectschrijvers in Doetinchem

In Doetinchem heeft het eerste congres plaatsgevonden van dialectschrijvers
uit Friesland, Groningen, Drenthe, Overijssel en Gelderland. Daar bleek dat
het verschijnsel dialect heel levend was.
De zaal zat vol met lezers en schrijvers die beschouwingen hielden over
5   dialect-literatuur. Er waren ook boeken: alleen al uit de Achterhoek en
Twente lagen er 25 boeken.
In Nederland worden zo'n 25 dialecten gesproken, in de stad (bijvoorbeeld
het Haags) of op het platteland (bijvoorbeeld het Limburgs). De Academie
van Wetenschappen doet reeds sinds 1930 onderzoek naar de dialecten in
10  Nederland. De onderzoekers doen dit zowel door middel van vragenlijsten als
door het maken van geluidsopnamen. Er wordt geprobeerd taalkaarten van
Nederland te maken. Zo heeft Jo Daan een kaart gemaakt voor het woord

- — kus
- / kos
- • zoen
- 0 smok
- O tuut, toot, toet *en var.*
- o muultje *en var.*
- ▲ poen *en var.*
- ▲ doetje
- Ⲧ duukske
- ▬ pieper
- ● bês
- O mondje *en var.*
- ➤ snuutje *en var.*
- ▫ nuutje:
- ❯ bek
- ↄ poes

'zoen'. Ook worden er woordenboeken van dialecten gemaakt.
De meningen over dialecten zijn in twee kampen te verdelen.
Tegenstanders menen dat ze de kansen van hun kind op school kleiner
maken door thuis dialect te spreken. Voorstanders hebben de opvatting
dat het dialect plat noch minderwaardig is.
Kort geleden bleek uit een onderzoek, gehouden in een aantal dorpen, dat
88 procent het eens was met de bewering: 'In een dialect kan men even goed
denken als in de standaardtaal.' En met de bewering: 'De standaardtaal is
mooier dan het dialect', was maar 29 procent het eens.
Vooral onder jongeren is er een groeiende belangstelling voor de taal van
hun streek: wie dialect spreekt, wil het bewaren. 'Ik heb niet zoveel houvast
in het leven,' merkte de Drentse schrijver Roel Reyntjes in Doetinchem op,
'maar ergens moet je je identiteit zoeken en dat is voor mij het dialect.'

Naar: *Groningse Dossiers*

| | | | | |
|---|---|---|---|---|
| het verschijnsel | het platteland | de vragenlijst | de tegenstander | de standaardtaal |
| het dialect | de academie | de geluidsopname | de voorstander | de streek |
| de zaal | de wetenschap | de taalkaart | de opvatting | het houvast |
| de beschouwing | reeds | de zoen | minderwaardig | opmerken |
| de dialect-literatuur | door middel van | het kamp | de bewering | de identiteit |

## Dubbele voegwoorden

**In de schrijftaal kunnen 'dubbele' voegwoorden gebruikt worden.**

**Zowel ... als ...** betekent hetzelfde als 'en ... en (ook) ... '
De onderzoekers doen dit zowel door middel van vragenlijsten als door het maken van geluidsopnamen.
In Doetinchem waren zowel streektaalschrijvers als schrijvers in de standaardtaal aanwezig.

**Hetzij ... hetzij ...** betekent hetzelfde als 'of ... of ... '
De vergadering van schrijvers zal hetzij 's middags, hetzij 's avonds plaatsvinden.
Het volgende congres van dialectschrijvers wordt over drie jaar georganiseerd, hetzij in Zwolle, hetzij in Groningen.

**(Noch) ... noch ...** betekent hetzelfde als 'niet ... en ook niet ...'
De voorstanders zijn van mening dat het dialect plat noch minderwaardig is.
De schrijvers die op het congres waren, kwamen noch uit de Randstad noch uit het zuiden van Nederland.

**C**    **3   Kleren maken de man**

**Een zwak voor mooi ondergoed**
Truus Boedhoe en Fariël Imambaks, beiden tweedejaars economie, geven hun mening over hoe kleding eruit moet zien.

5   *Truus*   'Ik vind dat kleding iets zegt over de persoon die je bent. Ik let er ook heel sterk op wat iemand draagt. Regelmatig winkelen we samen in de stad, op zoek naar leuke kleren in de uitverkoop of in
10   nieuwe kledingzaken. Ik maak zelf kleren. Aan een paar schoenen stel ik wel eisen, die moeten gewoon goed zijn. Ook houd ik van een mooi kapsel en nette make-up. Tot aan de nagels toe moet
15   alles verzorgd zijn.'

Fariël   'Ja, ik let ook erg op wat iemand draagt. Kijk, kleding moet goed
zitten. Ik draag nu bijvoorbeeld een lange blouse met daarop
een kort jasje. In rokjes zal je me niet zien. Nee, met zo'n strak
ding aan moet ik zo opletten hoe ik loop. We hebben allebei een
20   zwak voor mooi ondergoed. Liefst van kant. Alle kleuren zijn
goed voor zulk ondergoed, behalve knalrood en wit. Schoenen
vind ik juist helemaal niet belangrijk, maar ik houd wel van een
lekker parfum.'

**Alleen geen dolk**
25   Kuldip Singh (21), derdejaars economie, houdt
van een verzorgd uiterlijk.

Kuldip   'Ik draag altijd een opvallend hoofddeksel: een
tulband. Dat heeft er alles mee te maken dat ik
als Sikh in India geboren ben. Van de ruim
30   negenhonderd miljoen Indiërs is één procent
Sikh. De Sikhs komen uit de noordelijke
provincie Punjab. Zij worden door de
hindoeïstische regering in de Indiase hoofdstad
New Delhi onderdrukt en protesteren hier al
35   eeuwen tegen. Bij ons geloof horen vijf uiterlijke
kenmerken. In de eerste plaats lang haar. Ten
tweede de tulband. Ten derde een armband.
Ten vierde speciaal, lang ondergoed. En ten
vijfde een dolk. Om anderen te beschermen
40   tegen onderdrukking. Ik houd me hier ook aan,
behalve aan het laatste kenmerk.
Ik vind het belangrijk om er netjes uit te zien.
Verder moeten mijn kleren leuk zijn en bij elkaar
passen. Vandaag bijvoorbeeld draag ik een rode
45   tulband. Dat past bij de rode streepjes in mijn
blouse. Zulke combinaties, daar houd ik van.'

Naar: *Ad Valvas*, 30 maart 1995.

| | | | |
|---|---|---|---|
| winkelen | een zwak hebben voor | de tulband | de armband |
| de uitverkoop | het kant | onderdrukken | de dolk |
| het kapsel | knalrood | het geloof | de onderdrukking |
| de make-up | het parfum | uiterlijk | de streep |
| opletten | het hoofddeksel | het kenmerk | |

## Zo'n, zulk(e)

***Zo'n* en *zulk(e)* hebben dezelfde betekenis.**

| | |
|---|---|
| **Zo'n** | Met zo'n strak rokje aan moet ik zo opletten hoe ik loop. |
| **zulk** | Alle kleuren zijn goed voor zulk ondergoed, behalve felrood en wit. |
| **zulke** | Zulke combinaties, daar hou ik van. |

*Let op:*
***Zo'n* < *zo* + *een* wordt gebruikt voor een telbaar zelfstandig naamwoord in het enkelvoud.**
'De standaardtaal is mooier dan het dialect.' Zo'n uitspraak vind ik onzin.

***Zulk* wordt gebruikt voor een niet-telbaar het-woord in het enkelvoud.**
Gisteren was het prachtig weer. Zulk weer wordt het vandaag vast niet.

***Zulke* wordt gebruikt voor een niet-telbaar de-woord in het enkelvoud en voor alle zelfstandige naamwoorden in het meervoud.**
Wat heb je nu gekocht! Zulke dure wijn koop ik nooit.
In Nederland heeft iedereen een hond of een poes. Zulke dieren bestaan niet in elk land als huisdier.

## D   4   Identiteit vermist

Voordat zij in januari 1990 op 89-jarige leeftijd stierf, vernietigde
de Britse miljonair Dorothea Allen al haar identiteitsbewijzen en
brieven. De weduwe van een rijke generaal liet 7,2 miljoen
gulden na, maar geen kinderen en geen familie en verder waren
5   er helemaal geen papieren, zelfs geen paspoort. Het aantal
mensen dat beweert familie van haar te zijn, groeit met de dag.
Volgens de Britse wet hebben mensen die denken recht te
hebben op een erfenis twaalf jaar de tijd om te bewijzen dat
ze familie van de overledene zijn. Als ze daar niet in slagen,
10   krijgt de Britse staat de erfenis.
De regering heeft opdracht gegeven alles wat ze bezat te
verkopen: een Rolls Royce, een vliegtuig, zilveren vazen, veel

gouden ringen, horloges en nog veel meer. Bovendien was er nog
een schitterend oud huis, boven op een heuvel vlak bij een rivier.
15   De totale opbrengst was ruim tien miljoen gulden.
Volgens Chris West, een journalist van de Daily Telegraph,
probeerde Allen opzettelijk alle details van haar verleden te doen
verdwijnen. 'Er zijn stemmen die fluisteren dat zij indertijd uit
een eenvoudige familie kwam, een rijke man trouwde en dat ze
20   in de herinnering wilde blijven leven als een rijke dame.'

Allen's boekhouder, de 82-jarige Leslie Stratford, gelooft dat het
zijn werkgeefster gelukt is haar verleden bijna helemaal te doen
verdwijnen.
Terwijl hij rustig aan zijn pijp trekt, zegt hij glimlachend: 'Ik ben
25   er stellig van overtuigd dat niemand ooit achter de waarheid zal
komen.'

Naar: *de Volkskrant*, 13 september 1990.

| | | |
|---|---|---|
| vermissen | de opdracht | fluisteren |
| vernietigen | bezitten | indertijd |
| de miljonair | de vaas | de boekhouder |
| het identiteitsbewijs | de ring | de pijp |
| de weduwe | het horloge | glimlachen |
| de generaal | de heuvel | stellig |
| nalaten | de rivier | overtuigd |
| de erfenis | de opbrengst | de waarheid |
| beweren | opzettelijk | |
| de overledene | het verleden | |

## *Verder, bovendien*

**verder**        De weduwe liet 7,2 miljoen gulden na, maar geen kinderen
                 en geen familie en verder waren er helemaal geen papieren,
                 zelfs geen paspoort.

                 Truus draagt graag mooie schoenen en verder houdt ze van
                 een verzorgd kapsel.

**bovendien**     De regering heeft opdracht gegeven alles wat ze bezat te verkopen:
                 een Rolls Royce, een vliegtuig, zilveren vazen, veel gouden ringen,
                 horloges en nog veel meer. Bovendien was er nog een schitterend
                 oud huis, boven op een heuvel vlak bij een rivier.

                 In het zuiden wonen mensen die gastvrij zijn. Bovendien
                 houden ze van feesten.

**E**     **5  Afstand**

Ze zijn elders geboren, maar wonen in Nederland. Hun
eigen land kennen ze van binnen en van buiten, maar
inmiddels kennen ze ook hun nieuwe vaderland goed. Ze
laten zien hoe ze verbonden zijn met hun oude vaderland.

5  *Namgyal Lhamo* is in 1956
geboren in Lungthung, Nepal,
en woont sinds 1980 in
Nederland.
'Ik heb geen materiële zaken
10  waar ik aan hecht, want als
boeddhisten proberen wij juist
afstand te doen van die dingen,
maar mijnhuisaltaar, waar ik
rustig kan mediteren en bidden,
15  is mij zeer dierbaar.'

Afstand doen

*Adillée Praag* is in 1959 geboren op Curaçao, Nederlandse
Antillen, en woont sinds 1990 in Nederland.
'Dit is een steen die ik zelf, met mijn eigen handen, heb
uitgegraven van de Tafelberg. Een stuk bergkristal. Zo zie ik
20  mezelf ook, met al die verschillende laagjes en die

schitteringen erin. En de ratelaar heb ik
meegenomen om me aan Caribische
muziek te herinneren en om er muziek
mee te maken.'

25 *Ahmed Alhadaui* is in 1947 geboren in
Nador, Marokko, en woont sinds 1967
in Nederland.
'Dit is het Marokkaanse theeservies dat
we nog steeds gebruiken. We missen
30 hier wel de sociale contacten. Zomaar
onverwacht ergens een kopje koffie of
thee drinken is er niet bij. Als je in
Marokko onverwacht langskomt, word
je hartelijk ontvangen. Met eten erbij,
35 en als je niet eet, worden ze zelfs boos.'

*Jaggi Kohli* is geboren in 1949 in
Ghazibad, in het noorden van India, en
woont sinds 1972 in Nederland.
'Dit zijn onze kinderen Shara van
40 viereneenhalf en Raman van drie. We
zijn ze een jaar geleden in India gaan
halen. Toen mijn vrouw en ik al dertien
jaar bij elkaar waren en we nog steeds
geen kinderen hadden, lieten wij ons
45 inschrijven bij een adoptiebureau voor
Indiase kinderen. Ik ben tenslotte
Indiër en ik wilde iets met mijn afkomst
doen. Als het Indiase kinderen waren,
leken ze toch een beetje op mij en zou
50 ik ze toch wat van hun eigen cultuur
kunnen meegeven. Het is alsof ze altijd
onze kinderen geweest zijn. Het maakt
ons niets uit hoe ze bij ons gekomen zijn. Wij gaan ervan uit
dat mensen in het leven kiezen voor hun eigen situatie en dat
55 betekent dat zij indirect voor ons gekozen hebben. Het is een
verwantschap van zielen, en dat kan via een bloedband, maar
ook langs een andere weg.'

Uit: *Novib-kalender* 1996.

**Zelf uitgegraven steen**

**Geen onverwacht bezoek**

**Verwantschap van zielen**

13 Onder water

# A  📼 1  Het waterschap

Nederland bestaat voor een groot gedeelte uit polders. Een
polder is een stuk land tussen dijken op een plaats waar
vroeger water was. Die polders brengen dagelijks veel werk
met zich mee. Er is immers een groot verschil tussen het lage
5 land van de polder en het hoge land daarbuiten. Als de stand
van het water in de polder te hoog wordt, moet het water
weggepompt worden. Dat gebeurt met een gemaal. Nou
hebben we hier in de studio meneer Leemans. Ik praat met
hem over zijn werk bij het waterschap Vallei en Eem. Een
10 belangrijke functie van het waterschap is: zorgen dat de stand
van het water in de polder goed is.

| | |
|---|---|
| *interviewer* | Meneer Leemans, een beetje water meer of minder in de polder, dat maakt toch niet zoveel uit? Ik bedoel: zolang de koeien niet in de grond blijven steken, hoef je je toch geen |
| 15 | zorgen te maken? |
| *Leemans* | Was het maar waar! Enkele centimeters water te veel kan al slechte gevolgen hebben voor de landbouw. We moeten de stand van het water dus scherp in de gaten houden. |
| *interviewer* | We gaan even terug in de geschiedenis. De eerste |
| 20 | waterschappen zijn ontstaan in de eh... 14e eeuw... |
| *Leemans* | Ja ja, zo rond 1400 wordt de windwatermolen uitgevonden. Dan komen de eerste polders droog te liggen. Later gebruikt men de elektrische gemalen. In totaal is er zo'n 600.000 hectare land gewonnen, met polders. Maar elders gingen ook |
| 25 | weer 500.000 hectare verloren, dus... |
| *interviewer* | Het water blijft lastig, kun je zeggen... |
| *Leemans* | Ja, zeker. Ondanks de zorg van de waterschappen is het water de mens namelijk toch nog regelmatig de baas geweest. Vanaf de 13e eeuw zeker twintig keer. |
| 30 *interviewer* | Twintig keer, zegt u? |
| *Leemans* | Ja, u hoort het goed. Zeker twintig keer. De laatste keer is nog niet zo lang geleden, dat was de ramp van '53, 1 februari 1953, om precies te zijn. Grote delen van Zeeland en Zuid-Holland zijn toen onder water gelopen en er zijn 1800 |
| 35 | mensen verdronken. |
| *interviewer* | Een paar jaar later is toen toch die wet, de ehm... de ... |
| *Leemans* | Ja, de Deltawet bedoelt u. Ja. Een paar jaar na die ramp van '53 heeft de Tweede Kamer de Deltawet aangenomen. Er is |

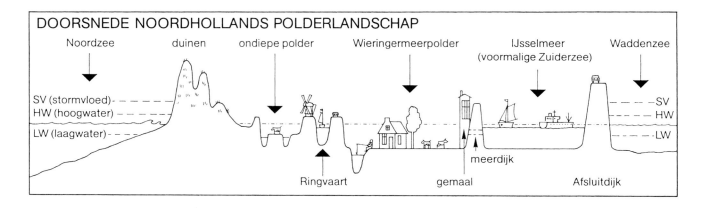

DOORSNEDE NOORDHOLLANDS POLDERLANDSCHAP

Noordzee       duinen     ondiepe polder      Wieringermeerpolder        IJsselmeer      Waddenzee
                                                                        (voormalige Zuiderzee)

SV (stormvloed)- – – – – –                                                                          – – – SV
HW (hoogwater) – – – – –                                                                            – – – HW
LW (laagwater)- – – – –                                                                             – – –LW

                                                                        meerdijk
                        Ringvaart                        gemaal                        Afsluitdijk

40          toen besloten dat alle grote wateren tussen de Zeeuwse en
            Zuid-Hollandse eilanden moesten worden afgesloten. Dat is
            net een paar jaar klaar. De tweede stap is nu de dijken. Alle
            dijken langs de rivieren moeten namelijk versterkt worden
            om het water voldoende te keren.

*interviewer*   Heeft het Nederlandse volk dan de strijd tegen het water
45          gewonnen, denkt u?

*Leemans*   Nee, zeker niet. Die strijd zal ook in de toekomst gevoerd
            moeten worden, of liever: juist in de toekomst. Want doordat
            de zeespiegel stijgt en het land daalt, blijft het water onze
            vijand. De laatste 2000 jaar is de zeespiegel maar liefst 340
50          centimeter omhoog gekomen. Het water wordt warmer en
            daardoor smelt langzaam het ijs op de Noord- en Zuidpool.
            Als dit zo doorgaat, zal de zeespiegel nog zeker zestig meter
            stijgen.

*interviewer*   Met andere woorden: dan verdwijnt de helft van Nederland
55          spoedig onder water.

*Leemans*   Als we er niets aan zouden doen wel, ja. Ja.

Naar: *Handelspost*, 4 oktober 1990.

| het waterschap | de vallei | versterken |
|---|---|---|
| de polder | blijven steken (in) | keren |
| de dijk | scherp | het volk |
| meebrengen | de windwatermolen | de zeespiegel |
| daarbuiten | uitvinden | de vijand |
| wegpompen | de hectare | smelten |
| het gemaal | iemand/iets de baas zijn | spoedig |
| de functie | afsluiten | |

## *Iets verduidelijken*

**Ik bedoel**

– Dus je vindt het niet nodig om het aan Piet te vertellen?
– Nee, ik vind het niet nodig. Ik bedoel: wat moet hij met die informatie?

– Meneer Leemans, een beetje water meer of minder in de polder, dat maakt toch niet zoveel uit? Ik bedoel: zolang de koeien niet in de grond blijven steken, hoef je je toch geen zorgen te maken?

**... of liever ...**

– U wilde mij ergens over spreken?
– Ja, ik vind dat het de laatste tijd niet zo goed gaat, of liever: het gaat helemaal niet goed.

– Heeft het Nederlandse volk dan de strijd tegen het water gewonnen, denkt u?
– Nee, zeker niet. Die strijd zal ook in de toekomst gevoerd moeten worden, of liever: juist in de toekomst.

**met andere woorden**

– Kan die afspraak niet een andere keer? Ik moet morgen namelijk naar de tandarts.
– Met andere woorden: je bent er morgen helemaal niet?

– Als dit zo doorgaat, zal de zeespiegel nog zeker zestig meter stijgen.
– Met andere woorden: dan verdwijnt de helft van Nederland spoedig onder water.

**B**

**2  Een gebouw van zand**

'Neem een emmer water en flink wat zand en... je hebt altijd een leuke vakantie!' aldus Lars van Nigtevegt. In het dagelijks leven is hij leraar Engels, in zijn vrije tijd ontwerpt hij zandgebouwen. Dat doet hij al sinds 1982. Aanleiding was de tentoonstelling 'Fantastische Architectuur' in het
5  Gemeentemuseum van Arnhem in 1981. Daar stond ook een schitterend zandgebouw, gemaakt door Pieter Wiersma (1942-1984), degene die als eerste in Nederland begon met het bouwen van zandgebouwen.

**Scheef**
Lars dacht: 'Dat is nou een mooie hobby om te gaan doen.' Hij kon met
10  zijn dochter naar het strand en tegelijk zijn hobby uitoefenen, waarin hij

ook zijn belangstelling voor architectuur kwijt kon. Hij begon met een heel
eenvoudig kerkje. 'In het begin was alles scheef. Het dak hing naar beneden
en het kerkje zat vol met gaten. Ik heb van al mijn gebouwen foto's
gemaakt. Een paar van die foto's heb ik naar Pieter gestuurd. Ik kreeg een
15  vriendelijke brief terug, waarin hij me schreef door te gaan. Hij gaf me ook
de tip dat ik op de horizon moest letten. De horizon is een natuurlijke hulp
om je gebouwen recht te krijgen. Door die foto's kan ik ook zien dat ik
vooruit ben gegaan, en dat is uiteraard heel leuk. De tegenstelling tussen de
gebouwen van toen en nu is erg groot. Gelukkig!'

20  **Kapot**
Lars: 'Als ik op vakantie ben, maak ik elke dag een nieuw gebouw. Ik haal
een "productie" van zo'n twintig gebouwen per jaar. Het probleem is dat je
bijna nooit langer dan een dag aan een gebouw kunt werken, want de

25  volgende dag staat het er meestal niet meer. Soms gaat het door de wind
kapot, soms door mensen. Een andere keer gaat er een vogel op je torentje
zitten, en dan is het ook vaak "boem...". Het is eigenlijk raar werk. Je kunt
heel moeilijk iets veranderen of vervangen. Dat gaat bijna niet. Maar dat is
nu juist de uitdaging. Vandaar dat ik het zo leuk vind.'

30  **Zacht zand**
'Het gebouw zit al in het zand, je hoeft het er alleen maar uit te halen,' zegt

Lars. Dat lijkt makkelijk, maar hoe maak je nu een zandgebouw? Lars:
'Qua spullen heb je weinig nodig: een emmer, een klein mesje en een saté-
prikker zijn genoeg. Je zoekt een rustig plekje op het strand, een beetje aan
35  de rand, waar het zand zacht is. Het zand mag niet te vuil zijn. Schelpen en
ander afval moeten verwijderd worden. Je doet water en zand door elkaar,
tot je een lekker "papje" hebt. Je haalt steeds iets van dit papje uit de
emmer en je maakt er een stevige berg van. Met bouwen werk je van boven
naar beneden en wat je niet nodig hebt, haal je weg met een mesje. Een
40  raam maak je bijvoorbeeld door eerst met een saté-prikker een gaatje te
maken en dat steeds iets groter te maken. Het mesje gebruik je voor de
details: deuren, torentjes, trappen, enzovoort. De eerste keer kun je het
beste met een gebouw van zo'n twintig centimeter beginnen. Dat is al
moeilijk genoeg.' Wie durft?

Naar: *Kampioen*, 1995.

| | | | |
|---|---|---|---|
| het zand | scheef | de toren | vuil |
| de emmer | de tip | de uitdaging | de schelp |
| het zandgebouw | de horizon | vandaar | verwijderen |
| fantastisch | de tegenstelling | qua | |
| degene | de productie | de saté-prikker | |

## *Zinnen met meer dan één hulpwerkwoord*

**Als een zin meer dan één hulpwerkwoord heeft, krijgt het tweede (derde)
hulpwerkwoord de vorm van een *infinitief*:**

| | hulpww | voltooid deelwoord | hulpww (inf) | hulpww (inf) | infinitief |
|---|---|---|---|---|---|
| Hij | **gaat** | | | | vissen. |
| Hij | *kan* | | **gaan** | | vissen. |
| Hij | moet | | *kunnen* | **gaan** | vissen. |
| Schelpen en ander afval | **worden** | verwijderd. | | | |
| Schelpen en ander afval | *moeten* | verwijderd | **worden**. | | |
| Schelpen en ander afval | zullen | verwijderd | *moeten* | **worden**. | |

Ze *wil* iets *gaan eten*.
*Kan* ik morgen *komen praten*?
De strijd tegen het water *zal* ook in de toekomst *gevoerd moeten worden*.

**C**     🔲 **3   Gesprek met een visser**

Voor veel dorpen aan de Nederlandse kust van Noordzee en IJsselmeer is het water een belangrijke bron van bestaan geweest. Lange tijd leek de zee steeds meer te geven. Er kwamen meer en grotere schepen, betere methoden om de vis te vangen. Het ging goed in de visserij. Totdat onderzoekers met andere

5  berichten kwamen: de zee wordt leeggevist, de jonge vis krijgt geen kans om te groeien, omdat ze nergens met rust gelaten wordt. In 1974 worden er in Europees verband afspraken gemaakt: bepaalde soorten vis, onder andere haring en kabeljauw, mogen nog maar met mate gevangen worden. Per land wordt een hoeveelheid vastgesteld.

10  We praten hierover met Nan Rotgans, een visser uit Den Oever, op het vroegere eiland Wieringen, waar zo'n veertig procent van de bevolking van de visserij leefde.

*interviewer*   Wat gebeurde er in 1974, toen die eerste afspraken gemaakt werden, op Wieringen?

15  *Nan Rotgans*   Nou, eerst niks vanzelf. Want ja, je denkt natuurlijk allemaal: die onderzoekers hebben er geen verstand van. Die hebben toevallig het verkeerde emmertje water onderzocht. Ja. En wij voeren hier iedere dag op zee en zagen nog steeds grote hoeveelheden vis, dus we gingen evengoed door. Controle was er ook niet. Later is daar wel verandering in gekomen; toen is de regering

20  gaan controleren en toen zijn er nieuwe maatregelen getroffen.

| interviewer | En wat hielden die maatregelen in? |
| --- | --- |
| *Nan Rotgans* | In 1989 kwam er een regeling dat ieder schip nog tweehonderd kisten vis per week mocht vangen. Nou, in zo'n kist zit veertig kilo. En dan heb ik het over kabeljauw, want daar vissen de meeste Wieringers op. In 1990 mochten er niet meer dan zestig kisten per week aangevoerd worden. En behalve die regeling is er ook nog een andere: per maand mag ieder schip maar een bepaald aantal dagen vissen. En dan zijn er nog speciale plaatsen waar het verboden is te vissen, waar de jonge kabeljauw zit. Ja, en dan denk je: wat nu? Want de controle werkt intussen ook goed, dus illegaal verkopen is onmogelijk. Dat hebben we eerst wel gedaan, maar ja, dat hebben we opgegeven. Trouwens, zoals het nu is, komen veel schepen niet eens meer aan die zestig kisten. |
| interviewer | Dus de onderzoekers hadden toch gelijk? |
| *Nan Rotgans* | Ja, in zoverre wel, ja. |
| interviewer | Wat betekent dat nou voor de vissers? |
| *Nan Rotgans* | Veel minder verdiensten natuurlijk. We moeten elk dubbeltje omdraaien. En minder werk. Vroeger was je de hele week op zee; we visten toen veel boven Duitsland, en nu zijn we in twee, drie dagen weer bij moeder thuis. Ja, dat is een heel ander leven. |
| interviewer | En voor het dorp? |
| *Nan Rotgans* | Voor het dorp heeft het vanzelf ook grote gevolgen. Er waren 45 schepen die op kabeljauw visten, en nu zijn dat er nog twintig. Dat betekent 25 die het niet gered hebben. Voor alle bedrijven en de winkels is dat ook een slag: de groenteboer en de slager brengen iedere zaterdag minder naar de haven en de scheepswerf heeft niet zoveel te repareren, en ga zo maar door. |
| interviewer | Maar zien de mensen in het dorp het nog wel zitten? |
| *Nan Rotgans* | Ja, nu wel weer. In het begin wisten we niet wat we moesten doen. Sommige mensen wisten zich echt geen raad. Want u moet weten dat het de visserij altijd goed was gegaan. Ook als het slecht ging met de economie, bleef de visserij buiten schot. Vis blijven de mensen altijd eten, ik bedoel: vlees laten ze staan omdat het een te duur product is, maar vis niet. En nu zijn de vissers zelf het slachtoffer. Maar ja, je went eraan en gelukkig is er nu weer meer ander werk. Het ziet er wat minder somber uit. Maar het blijft natuurlijk verrèkte jammer dat het zo is gelopen. |

Regelnummers in de marge: 25, 30, 35, 40, 45, 50

| de visser | de mate | vissen | de slager |
| --- | --- | --- | --- |
| de bron | verstand hebben van | aanvoeren | de scheepswerf |
| de methode | varen | illegaal | buiten schot blijven |
| vangen | evengoed | in zoverre | het product |
| de visserij | de verandering | de verdienste | verrekte jammer |
| leegvissen | maatregelen treffen | omdraaien | |
| met rust laten | de regeling | de slag | |

## *Wat nu?*

**Wat nu?**

– Goedemiddag, uw legitimatie graag.
– O! Die heb ik niet bij me. Wat nu?

– En dan zijn er nog speciale plaatsen waar het verboden is te vissen, waar de jonge kabeljauw zit. Ja, en dan denk je: wat nu?

**Ik zie het niet meer (zitten)**

– Hoe gaat het met je onderzoek?
– Nou, ik zie het niet meer zitten.

– Zien de mensen in het dorp het nog zitten?
– Ja, nu wel weer.

**Ik weet me geen raad**

– Maar ik weet me geen raad zonder auto!
– Nou, je kunt toch wel een keertje de trein nemen?

– Sommige mensen wisten zich geen raad. Want u moet weten dat het de visserij altijd goed was gegaan. Ook als het slecht ging met de economie, bleef de visserij buiten schot.

## *Toen, dan*

**Toen en dan = daarna, of: op dat moment, in die tijd**

**daarna**

– Ik ben acht keer gezakt voor mijn rijbewijs en toen heb ik gezegd: dit nooit meer.
– Ja, dat kan ik me voorstellen.

– Blijf je lang weg?
– Nou, ik ga eerst even boodschappen doen en dan ga ik nog even naar de bibliotheek.

**op dat moment, in die tijd**

– Hoe laat zal ik komen, een uur of zes?
– Nee, dan ben ik nog niet thuis. Liever iets later.

– Controle was er ook niet. Later is daar wel verandering in gekomen; toen is de regering gaan controleren en toen zijn er nieuwe maatregelen getroffen.

*Let op:*   **toen** (bw) + *verleden tijd*
          Ik ben acht keer gezakt voor mijn rijbewijs en
          toen heb ik gezegd: dit nooit meer.
          Zo deden we dat toen.

          **dan** (bw) + *tegenwoordige tijd*
          Nee, dan ben ik nog niet thuis.
          Hij eet eerst een broodje en dan leest hij de krant.

# D   4   Wees wijs met water

Hoeveel water gebruiken we in Nederland per dag? Deze vraag
werd laatst door een verslaggever van de televisie aan een aantal
mensen gesteld. De meesten dachten dat het zo'n veertig tot
vijftig liter was. Maar het is gemiddeld 135 liter per persoon per
5    dag. We behoren daarmee tot de gemiddelde waterverbruikers
van Europa en zitten ruim onder het gemiddelde van Amerika.
Als we het echter vergelijken met Afrika of Azië dan is 135 liter
per dag natuurlijk enorm veel. Daar gebruiken de mensen
gemiddeld dertig tot veertig liter per persoon per dag.
10   Hieronder zien we waar die 135 liter voor gebruikt wordt.
Omdat de bevolking blijft groeien, blijft de vraag naar water
ook steeds toenemen. Daarom is het
goed om eens kritisch te kijken naar
het gebruik van water.
15   Kunnen we niet wat minder
water gebruiken?

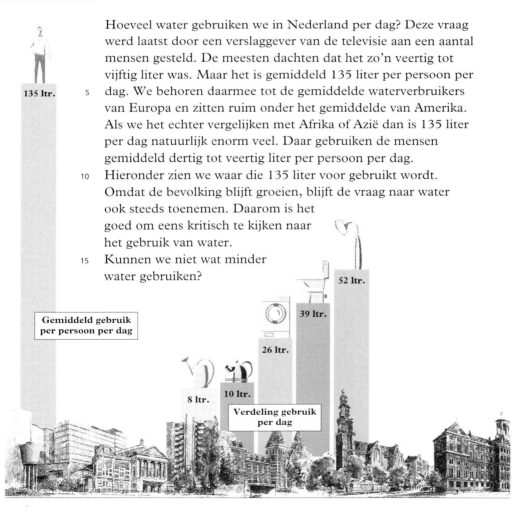

135 ltr.

52 ltr.

39 ltr.

26 ltr.

10 ltr.

8 ltr.

**Gemiddeld gebruik
per persoon per dag**

**Verdeling gebruik
per dag**

## *Enkele tips om zuiniger met water om te gaan:*

**1    Ga niet te vaak in bad**
Onthoud dat voor een bad honderd liter
water meer nodig is dan voor een
douche. Als u wat minder vaak in bad
5   gaat en wat meer onder de douche,
scheelt dat dus telkens honderd liter!

**2    Laat nooit een kraan voor niets
     openstaan**
Denk eraan bij het tanden poetsen dat de
10   kraan niet voor niets openstaat: terwijl u
poetst de kraan gewoon dichtdoen dus.
En om schoon te worden hoeft u ook
geen uren onder de douche te staan!

**3    Lekkende kraan? Doe er wat aan!**
15   Een lekkende kraan lekt twee tot twee-
eneenhalve liter water per uur. Een jaar
heeft 8766 uren. Per jaar wordt er dus

20.000 liter water verspild met één
lekkende kraan. Behalve het water kost
20   dat u ook nog eens dertig gulden. Zet er
dan liever een nieuw kraanleertje in van
een kwartje!

**4    Zuinig doorspoelen**
Te weinig water gebruiken om het toilet
25   door te spoelen is niet hygiënisch. Maar
zuinig doorspoelen kan wel. Hiervoor
bestaan speciale stortbakken, waarmee je
op twee manieren kunt doorspoelen:
weinig water voor een plas, de volle
30   hoeveelheid voor een grote boodschap.
Als alle zes tot zeven miljoen stortbakken
in Nederland zo zouden doorspoelen,
zou er heel wat minder water gebruikt
worden.

**D          5   Visser van ma yuan**

onder wolken vogels varen
onder golven vliegen vissen
maar daartussen rust de visser

golven worden hoge wolken
wolken worden hoge golven
maar intussen rust de visser

*Lucebert*

daartussen

## Verzoek

| | |
|---|---|
| *met een imperatief:* | Ga niet te vaak in bad. |
| | Laat nooit een kraan voor niets openstaan. |
| | Gaat u daar maar even zitten. |
| *met een infinitief:* | Gewoon dichtdoen dus. |
| | Instappen alstublieft. |
| | Langzaam rijden. |
| **alsjeblieft** | – Zal ik de radio aanzetten? |
| | – Alsjeblieft niet te hard. |
| | Stilte alstublieft! |

**E**        **6**

# Ontspannen op de Wadden

**Het waddengebied biedt rust, ruimte en ontspanning. Een heerlijke vakantiebestemming met stranden, zee en schitterende natuur.**

Het grootste waddeneiland is **Texel.** Met bossen, duinen, strand, heidevelden en polders is Texel 'Nederland in het klein'. **Terschelling** biedt naast natuur ook veel gezelligheid. Het hele jaar door zijn er festiviteiten. Het karaktervolle **Ameland** was honderden jaren geleden al
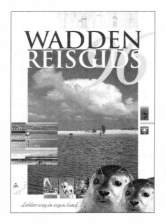
bewoond. Nu is er zelfs een tropisch zwemparadijs. **Vlieland** en **Schiermonnikoog** zijn de eilanden van rust en ruimte. De auto moet aan land blijven. Stelt u zich eens voor, wat een stilte! In de Waddenreisgids vindt u het uitgebreide aanbod van arrangementen en accommodaties op de eilanden. U krijgt hem automatisch thuisgestuurd als u *Vriend van het Wad* wordt via de bon op deze pagina. U kunt ook bellen met een van de volgende telefoonnummers:

*Texel*:  0222 - 31 47 41
*Vlieland*:  0562 - 45 11 11
*Terschelling*:  0562 - 44 30 00
*Ameland*:  0519 - 54 20 20
*Schiermonnikoog*:  0519 - 53 12 33

14 Voor iedereen

## A    ⊡ 1   Wereldmuziek

Half vijf, een middag in augustus. In de grote zaal van de Amsterdamse
Muziekschool aan de Bachstraat slaan twee Nederlandse jongens en een
Marokkaans en een Chileens meisje samen onder leiding van de Surinamer
Glenn Hahn op hun houten instrumenten. Diepe tonen klinken door het
5  hele gebouw. Hahn doet het Guinese Yankadi-ritme voor: 'Poedoe pada
podoe dieng.' De leerlingen staren naar Glenn en proberen om de beurt te
spelen, zodra deze met zijn stok het ritme aangeeft. Als een van de spelers
opkijkt, veegt hij het zweet van zijn gezicht. Iedereen geniet: dit heet
werken, maar het lijkt meer op een feestje.
10  We zijn te gast bij Huub Schippers, directeur van de Wereldmuziekschool.

    *interviewer*    Meneer Schippers, ik heb gehoord dat er veel belangstelling is voor
wereldmuziek?
    *Schippers*    Ja, de leerlingen staan echt te dringen voor onze cursussen. Met de
driehonderd leerlingen die zich inmiddels hebben opgegeven, zijn al
15  onze plaatsen bezet. We proberen nu meer subsidie te krijgen, zodat we
meer cursussen kunnen organiseren.
    *interviewer*    Wat is het doel van de Wereldmuziekschool?
    *Schippers*    Wij richten ons al jaren op het scheppen van meer begrip en interesse
voor niet-westerse muziek. Dat willen we met deze lessen bereiken. Ja,
20  waarom we nu pas succes hebben, weet ik niet precies. Waarschijnlijk
zijn er verschillende oorzaken. Ten eerste het groeiend aantal
allochtonen in Nederland. Er zijn meer dan vijftig procent allochtone
kinderen in Amsterdam. Ten tweede maken de mensen tegenwoordig
vaak verre reizen. Zo wordt de belangstelling gewekt voor verschillende
25  culturen. Trouwens, ook op de televisie zien de mensen veel films over

het buitenland. En een derde oorzaak is misschien dat de westerse muziek op het moment niet zo interessant is. De muziek van de twintigste eeuw heeft het contact met het publiek een beetje verloren. Daardoor grijpen mensen makkelijker naar andere instrumenten.

30   *interviewer*   Voor wie zijn de lessen bedoeld?

*Schippers*   Voor iedereen. Naast Turkse kinderen kunnen bijvoorbeeld ook Nederlanders lessen volgen op de saz, een Turks instrument. Zo ontstaat op een natuurlijke manier een integratie van verschillende maatschappelijke groepen. Overigens wil ik daarbij wel de

35   opmerking maken dat het naïef zou zijn om te denken dat muziek zonder meer alle grenzen kan doen verdwijnen. Dat is immers niet reëel, dat geef ik toe. Maar muziek kan daar wel een aandeel in hebben. Met de nodige steun en achtergrond, zoals een Wereldmuziekschool, kunnen we samen wel wat veranderen. Daar

40   streven we in ieder geval naar.

Naar: *Onze Wereld*, oktober 1990.

| | | | | |
|---|---|---|---|---|
| de wereldmuziek | klinken | opkijken | zich richten op | de integratie |
| de muziekschool | voordoen | vegen | de allochtoon | de opmerking |
| onder leiding van | het ritme | het zweet | allochtoon | naïef |
| houten | staren | dringen | wekken | reëel |
| het instrument | de stok | bezet | grijpen | een aandeel hebben in |
| de toon | de speler | de subsidie | de saz | de achtergrond |

## Trouwens, overigens

**trouwens**      – Je gaat niet mee eten?
          – Nee, ik heb geen tijd. Ik heb trouwens ook geen honger, dus het geeft niet.

          Trouwens, ook op de televisie zien de mensen veel films over het buitenland.

**overigens**     – En, waren ze een beetje op tijd vandaag?
          – Nou, Nurten was weer te laat. Dat is overigens een heel aardige meid.

          Zo ontstaat op een natuurlijke manier een integratie van verschillende bevolkingsgroepen. Het zou overigens naïef zijn om te denken dat muziek alle grenzen kan doorbreken.

**B**     **2  Radionieuws**

'Islamitische vrouwen mogen op het werk een hoofddoek dragen. Een
verbod daarop is in strijd met de Algemene Wet Gelijke Behandeling.
Dit zegt de Commissie Gelijke Behandeling tegen een
schoonmaakbedrijf dat een Turkse vrouw heeft ontslagen, omdat ze
30  tijdens haar werk een hoofddoek wilde dragen. De uitspraak kan
gevolgen hebben voor vergelijkbare verboden in het onderwijs.

De vrouw verscheen in juni vorig jaar voor het eerst met een
hoofddoek op het werk. Omdat haar werkgever dat niet accepteerde,
werd ze ontslagen. De Commissie Gelijke Behandeling vindt dat de
35  werkgever de hoofddoek niet had mogen verbieden. Met zo'n verbod
discrimineert de werkgever op grond van godsdienst. Deze vorm van
discriminatie is verboden. De vrouw had de zaak na haar vertrek bij
het schoonmaakbedrijf al voor de rechter laten komen. Ook die stelde
haar in het gelijk. Volgens het Nederlands Centrum Buitenlanders
40  (NCB) kan de uitspraak ook van belang zijn voor het onderwijs.
De afgelopen jaren is er een hele lijst met conflicten over hoofddoekjes
ontstaan. Vooral op basisscholen en middelbare scholen. Een
onderwijzer uit Amsterdam nam vorig jaar ontslag omdat hij het niet
eens was met het verbod op hoofddoekjes op zijn school. Een school
45  in Heemskerk accepteerde twee Turkse leerlingen pas na een heftige
discussie in de media. De meisjes waren eerder van school gestuurd.
De school wilde een plaats zijn waar vrouwen gelijk zijn aan mannen,

en zag het dragen van een hoofddoek als teken van ongelijkheid.
De Commissie Gelijke Behandeling was niet blind voor het feit dat er
50   binnen de islam verschillend wordt gedacht over het dragen van een
hoofddoek. Maar dat wil volgens de commissie niet zeggen dat
vrouwen niet het recht moeten hebben om met een hoofddoek op het
werk te verschijnen.

55   Tot zover het nieuws.'

Naar: *de Volkskrant*, 9 augustus 1995.

| | | |
|---|---|---|
| de hoofddoek | discrimineren | ontslag nemen |
| het verbod | de discriminatie | heftig |
| in strijd zijn met | het vertrek | de media |
| het schoonmaakbedrijf | in het gelijk stellen | de ongelijkheid |
| ontslaan | van belang zijn (voor) | blind |
| de uitspraak | afgelopen | |
| vergelijkbaar | de lijst | |

## C    3   Multiculturele woningen

Hoewel buitenlanders in oude wijken meestal een flink deel van de
bevolking vormen, krijgen ze bij de stadsvernieuwing gewoonlijk weinig
aandacht. In de Haagse Schilderswijk heeft de gemeente dat anders
gedaan. Op initiatief van wethouder Adri Duivensteijn kwam in 1984
5   de Portugese architect Alvaro Siza naar Nederland om een plan te
maken voor een gedeelte van de Schilderswijk. Dat is een wijk met veel
migranten, vooral islamieten. De opdracht was dat de woningen
multicultureel zouden worden. Wel moesten de huren redelijk blijven:
de huurprijs van geen van de huizen mocht hoger zijn dan driehonderd
10   gulden. Siza had nog niet zo lang geleden in West-Berlijn gewerkt. Daar
had hij ook buitenlandse bewoners intensief bij zijn werk betrokken.

### Wensen
Toen Siza in Den Haag met zijn opdracht begon, ging hij eerst twee
weken in de wijk wonen. Hij kwam het liefst bij de mensen thuis, keek
15   hoe ze leefden, wilde zien wat belangrijk voor hen was. Hij ging op
bezoek en praatte met de hulp van tolken lange tijd met de bewoners
over de voor hen ideale woning. Vervolgens ging hij achter zijn bureau
zitten om de wensen van de toekomstige bewoners te realiseren.
Waaruit bestonden die wensen? Ten eerste bleken alle bewoners,

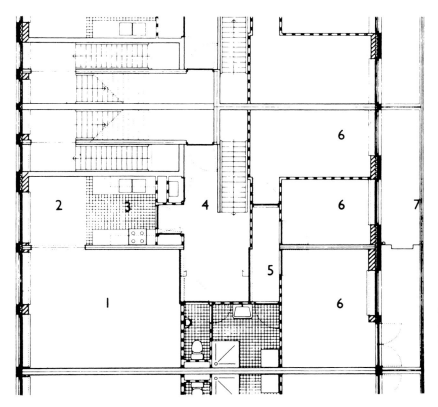

**Plattegrond van de
woningen op de
tweede verdieping**

1. *woonkamer*
2. *eethoek*
3. *keuken*
4. *hal*
5. *tweede hal*
6. *slaapkamer*
7. *balkon*

20  buitenlanders en Nederlanders, het liefst een ruime, aparte keuken te
hebben. De Nederlanders dachten daarbij in de eerste plaats aan een
keuken om in te eten, terwijl veel migranten in de keuken de vrouwen
de ruimte wilden geven. Daarnaast hadden de islamitische migranten
verlangens die ook anderen aantrekkelijk vonden, zoals het verzoek de
25  wc niet direct naast de keuken te plaatsen.

**Schuifdeuren**
Het belangrijkste verschil met 'gewone' Nederlandse woningen is de
scheiding die is gemaakt tussen een 'openbaar' en een 'privé'-gedeelte
in het huis. In het eerste bevinden zich de ingang, de keuken en de
30  woonkamer; in het tweede de slaapkamers en de badkamer. De wc is
vanuit beide gedeelten bereikbaar. De achtergrond van deze scheiding
is dat bij islamitische gezinnen de vrouwen zich vrij in het privé-
gedeelte moeten kunnen bewegen, als er in het openbare deel mannen
op bezoek zijn. Een deel van de woning kan als het ware worden
35  gebruikt als vrouwenhuis.

Door zo veel mogelijk schuifdeuren te gebruiken, heeft Siza de
plattegrond die zo ontstaat ook voor andere doelen aantrekkelijk
gemaakt. Zo kan de voorste hal bij de woonkamer worden getrokken,
terwijl de achterste hal (bijvoorbeeld 's avonds als de kinderen slapen)
40  als hal blijft functioneren. Ook kunnen de schuifdeuren tussen de beide
hallen worden opengezet, zodat er een grote extra ruimte ontstaat.
De eerste woningen zijn nu al een paar jaar klaar en de bewoners van
dat blok blijken bijna allemaal erg tevreden te zijn. Ze ontvangen
regelmatig kijkers uit andere delen van het land die graag komen kijken
45  naar deze vorm van stadsvernieuwing. Er blijken niet alleen migranten
in deze 'multiculturele woningen' te wonen: twintig procent van de
huizen wordt bewoond door Nederlanders.

Naar: *Buitenlanders Bulletin*, mei 1990.

| | | | |
|---|---|---|---|
| de stadsvernieuwing | realiseren | de ingang | de hal |
| op initiatief van | waaruit | de badkamer | functioneren |
| de architect | daarnaast | vanuit | openzetten |
| de migrant | het verlangen | bereikbaar | het blok |
| de huurprijs | aantrekkelijk | als het ware | de kijker |
| intensief | het verzoek | het vrouwenhuis | bewonen |
| de tolk | de scheiding | de schuifdeur | |
| toekomstig | privé | de plattegrond | |

## *De onvoltooid verleden tijd*

**De onvoltooid verleden tijd kan gebruikt worden om te
vertellen over de opeenvolging van gebeurtenissen en
handelingen uit het verleden.**

Toen Siza in Den Haag *begon* met zijn opdracht, *ging* hij eerst twee
weken in de wijk wonen. Hij *kwam* het liefst bij de mensen thuis,
*keek* hoe ze leefden, *wilde* zien wat belangrijk voor hen was. Hij
*ging* op bezoek en *praatte* met de hulp van tolken lange tijd met de
bewoners over de voor hen ideale woning.

Toen ik naar Nederland *kwam*, *dacht* ik dat ik de mensen nooit zou
verstaan. Maar gelukkig *viel* het *mee* want na een paar weken *kon* ik
al wat begrijpen. Ik *merkte* dat ik bijna elke dag iets nieuws *leerde*.
Jammer genoeg *was* dat na een tijdje over. Toen *ging* het allemaal
veel langzamer.

# D    4 Buikdansen is meer dan erotisch swingen

Als het buiten donker wordt en het ook in de universiteit steeds
stiller wordt, begint het leven van veel studenten en
medewerkers van de Vrije Universiteit in Amsterdam pas goed.
's Avonds is er tijd voor baantjes en sporten. Of voor
5  buikdansen, dat méér is dan 'erotisch swingen in een te kleine
beha of een jurk waar je doorheen kunt kijken, want dat denken
de meesten,' aldus Daniëlle Wolvers (26).

### Houten pop

Tijdens de cursus buikdansen, die elke
10  maandagavond wordt gegeven in het
Amstelveens Cultureel Centrum (ACC), wordt
niet alleen aandacht besteed aan
spieroefeningen voor de buik. Ook met de
heupen, de nek en handen worden vele
15  sierlijke bewegingen gemaakt. 'De ene keer
lopen we als een kameel, de andere keer
kruipen we allemaal als katten,' vertelt Thea
Gorens (51), student rechten. 'Al hoef je niet
sportief te zijn, toch is buikdansen moeilijker
20  dan het lijkt. Toen ik het in Turkije zag, wilde
ik het ook graag leren. Maar als ik mezelf nu
in de spiegel zie, voel ik me net een houten
pop.'
Volgens cursist Marcia Visser (22) zijn
25  Nederlanders niet houteriger dan Turken of
Marokkanen en kunnen zij net zo goed leren
buikdansen. 'Het gaat erom dat je de
verschillende delen van het lichaam
onafhankelijk van elkaar kan laten bewegen.
30  Dus als ik met mijn nek of schouders draai,
dan mag ik mijn heup en buik niet gebruiken.'

### Vooroordelen

Het is merkwaardig hoeveel vooroordelen er in Nederland over
buikdansen bestaan. Dat merken ook deze cursisten weer.
35  'Sommigen denken dat ik in een te kleine beha over een tafel
moet dansen,' zegt Daniëlle. En iemand anders zegt: 'Toen ik
vertelde dat ik op buikdansen zat, zei een vriend tegen me "Ik

wist niet dat je zo sexy was". Nou ja!' Daniëlle en Thea kunnen
zich wel voorstellen dat buikdansen voor publiek erotisch zou
40   lijken. 'Je beweegt je lichaam heel langzaam in sierlijke vormen
en dat kan heel sexy lijken. Maar dat hoeft niet vanzelf het doel
van het dansen te zijn,' beweert Thea.
Daniëlle ziet liever dat het buikdansen voor vrouwen, net als
het buikdansen voor mannen, gezien wordt als een 'sociaal
45   gebeuren' dat bij huwelijken en feesten wordt uitgevoerd. Bij
het buikdansen voor mannen wordt overigens minder de
nadruk gelegd op het sierlijke bewegen.

**Trend**

Buikdansen is een trend aan het worden onder Nederlandse
50   vrouwen en meisjes. Sommige centra hebben al wachtlijsten
voor de cursussen buikdansen. Marcia tenslotte: 'Een voordeel
van buikdansen is dat je lichaam én geest beter leert
ontspannen. En dat kan heel handig zijn voor studenten.
Doordat ik bij de oefeningen leer me te ontspannen, kan ik me
55   na anderhalf uur buikdansen vaak beter concentreren op het
lezen van literatuur voor mijn studie.'

Naar: *Ad Valvas*, 30 maart 1995.

| | | |
|---|---|---|
| buikdansen | de beweging | sexy |
| erotisch | de kameel | de nadruk |
| swingen | houterig | de trend |
| de spieroefening | het vooroordeel | zich ontspannen |
| sierlijk | merkwaardig | zich concentreren (op) |

## *Allemaal*

**Allemaal = alle(n) = de hele groep (personen of dingen)**

– Wie heb je allemaal uitgenodigd?
– Voor vrijdagavond, bedoel je?

– Zijn er nog koekjes?
– Nee, ik heb ze allemaal opgegeten.

We gaan allemaal met de trein.

De ene keer lopen we als een kameel, de andere keer kruipen
we allemaal als katten.

**E**    [cassette]  **5  Mijn vader was tapijtknoper**

In het verhaal 'De witte schepen' gaat een Iraanse vader op
bezoek bij zijn zoon die in Nederland woont. Hier volgt een
fragment uit het verhaal.

Nu was mijn vader bij mij.
5   Ik had een programma gemaakt. Ik wilde van de mogelijkheden
van de stad gebruik maken om hem wat van de westerse wereld
te laten zien. Ik dacht dat het leuk zou zijn als we samen door
de weilanden zouden wandelen en misschien een boerderij
zouden bezoeken. Ik wilde over de oude dijk fietsen en hem de
10  typisch Nederlandse ophaalbruggen laten zien. Langs de rivier
lopen en de grote schepen voorbij zien varen. Door de
winkelpromenade wandelen en nog veel meer.
De eerste dag gingen wij samen naar de school van mijn
dochtertje. Daar was een soort tentoonstelling ingericht waar de
15  ouders de resultaten van de handenarbeid van hun kinderen
mochten bekijken.
Het was druk binnen. Alle werkstukjes hingen in de gang. De
kinderen kwamen uit de lokalen en namen hun ouders mee om
hun werk te laten zien.
20  Mijn dochtertje wees een klein tapijtje aan en zei dat ze het zelf
gemaakt had.
Mijn vader bekeek het aandachtig, toen draaide hij zich om
naar mij en zei: 'Hoe kan dat nou?'
'Wat bedoelt u?'
25  'Kijk! Zij heeft een tapijtje geknoopt. Waar heeft ze dat geleerd?'
Ik moest het opnieuw bekijken. Mijn vader had gelijk, zij had
een mooi klein tapijtje geknoopt. Ik begreep niet hoe ze het had
gedaan. Zij was pas zeven en we hadden het haar niet geleerd.
Pas later bedacht ik dat ze het van mijn vader zelf geleerd kon
30  hebben. Toen ik mijn land uit moest, was ze met haar moeder
anderhalf jaar bij mijn ouders blijven wonen. Mijn vader had
haar vaak mee naar zijn winkel genomen. Ze had het
waarschijnlijk daar gezien en ergens diep in haar geheugen
weggestopt.

35  Mijn vader was tapijtknoper.
Hij maakte de mooiste tapijten van de stad. De tapijten die hij
maakte, waren als schilderijen, een landschap van de

besneeuwde bergen van de stad, een man met een lange, grijze
baard, koeien die aan het grazen waren en nog veel meer.

40   Hij was door zijn werk bekend in de hele stad, maar hij wilde
niemand van ons het vak leren.
'Tapijtknopen is slopend werk. Je moet in iedere knoop iets van
je ziel leggen tot het tapijt een eigen ziel krijgt. Je takelt zelf af
terwijl de losse draden tapijten vormen.'

45   Toen ik klein was, nam mijn vader me nooit mee naar zijn
winkel. Als ik er soms naartoe moest, ontving hij mij aan de
deur en stuurde me snel terug naar huis.
Tot ik een keer naar de winkel ging en hij toevallig niet
aanwezig was. Ik ging naar binnen en ineens zag ik een half

50   afgemaakt tapijt waarvan het patroon werd gevormd door
vogels. Tot dat moment had ik nooit gezien wat voor soort
tapijten mijn vader maakte. Ik pakte een zwarte draad en
probeerde een van de vogels af te maken. Opeens brandde mijn
rechteroor, mijn vader tilde me aan mijn oor op en riep: 'Laat

55   dat! Ik wil niet dat je dat voor mij doet.'
Mijn vader wilde niet dat wij tapijten leerden knopen, maar nu
had zijn kleindochter hem in 'het vreemde Westen' verrast.
'We kunnen ons lot niet ontlopen, het stroomt mee in ons
bloed,' zei hij, toen we van de school naar huis liepen.

60   In zijn jeugd heeft hij als schaapherder gewerkt. Ik dacht dat
het leuk voor hem zou zijn als ik hem 'de Nederlandse koeien'
zou laten zien.

Daarom maakte ik twee fietsen gereed om de koeien te gaan bekijken.

65 We fietsten over de rustige fietspaden langs de weilanden.
Ik liet mijn vader voor mij uit fietsen, want ik was bang dat het de laatste keer zou zijn dat ik hem zag. Ik bedacht dat hij snel weer weg zou gaan en ik hem waarschijnlijk nooit meer zou zien.

70 Ik probeerde hem van alle kanten goed te bekijken. Ik wilde mijn geheugen volzuigen met zijn beeld, zodat ik me hem later goed voor de geest zou kunnen halen.
Ik voelde me alsof ik afscheid moest nemen van mijn vader aan het sterfbed.

75 Ik had dat gevoel niet zomaar, ik dacht dat het door zijn manier van kijken kwam. Hij bleef soms zo naar mij staren dat ik dacht: hij is al weg, kijk, hij is verdwenen.

We fietsten naar de rivier, naar de ophaalbrug. Ik wilde over de oude dijk gaan en daar de grazende koeien aan hem laten zien.

80 We kwamen op het juiste moment bij de brug. Mijn vader kon het opengaan van de brug zien. De bel ging, de rode slagboom kwam naar beneden en de brug ging langzaam omhoog.

Fragment uit 'De witte schepen' van Kader Abdolah, *De adelaars*. Verhalen. Breda: Uitgeverij De Geus 1993.

15 Een hap
schone lucht

# A 1 De cultuur van ziekte en genezing

De Amerikaanse Lynn Payer heeft een boek gepubliceerd over de cultuur van ziekten en van de manieren om ziekten te behandelen. Ze woont in Parijs. Hier volgt een gesprek met haar.

*interviewer* Hoe kreeg u het idee over dit onderwerp een boek te schrijven?

*Lynn Payer* Nou, toen ik net in Frankrijk woonde, merkte ik dat sommige ziekten daar heel veel aandacht kregen, terwijl andere niet eens behandeld werden. En dat bleek ook zo te zijn in Groot-Britannië, én in West-Duitsland én in de Verenigde Staten.

*interviewer* Geeft u eens een voorbeeld?

*Lynn Payer* Eh... Amerikaanse dokters doen bijvoorbeeld zes keer zoveel hartoperaties als de Engelse. En wat betreft borstoperaties: in Amerika worden die operaties vooral gedaan om borsten te vergroten, terwijl in Frankrijk veel meer aan het verkleinen van borsten wordt gedaan. En toch gaat het in beide landen om borsten van dezelfde grootte.

*interviewer* Goh, en dat het dan zo verschillend is per land... Eh... is er ook verschillend gebruik van medicijnen?

*Lynn Payer* O ja! Duitse artsen geven bijvoorbeeld weinig antibiotica. En de Fransen, die krijgen zeven keer zo vaak een zetpil als de Amerikanen.

*interviewer* En wie heeft er nou gelijk?

*Lynn Payer* Ja, wie gelijk heeft, dat is niet te zeggen. Trouwens, in alle vier de landen overlijdt eenzelfde percentage mensen per jaar.

*interviewer* Dat is dus weer wel hetzelfde.

*Lynn Payer* Ja, inderdaad ja. Zo zie je maar weer...

*interviewer* U bent zelf Amerikaanse. Hoe reageerde u op het gebruik van medicijnen in Europa?

*Lynn Payer* In het begin was ik echt heel verbaasd over het gebruik van homeopathie in Frankrijk. En ook het geloof in kuren in Duitsland en Frankrijk, dat verbaasde me heel erg. In Frankrijk worden kuren zelfs door het ziekenfonds betaald. Maar in Amerika is kuren weer totaal onbekend.

*interviewer* Ik heb gehoord dat artsen in Amerika voor de rechter moeten komen als hun diagnose niet goed is. Is dat waar?

|          |                                                                                                 |
|---------:|-------------------------------------------------------------------------------------------------|
| *Lynn Payer* | De artsen in Amerika moeten inderdaad heel voorzichtig zijn. Bij een                         |
| 40       | diagnose die niet voor honderd procent klopt, eisen sommige patiënten                           |
|          | meteen een uitspraak van de rechter. Je kunt daar als arts nooit zeggen:                        |
|          | 'Ik heb me vergist'. En als een patiënt overlijdt door een fout van de                          |
|          | dokter, eist de familie meestal enorm veel geld.                                                |
| *interviewer* | Zijn er ook typisch Nederlandse gebruiken in de gezondheidszorg?                            |
| 45 *Lynn Payer* | Jazeker. Vooral het geringe gebruik van apparaten en van antibiotica.                     |
|          | Een Amerikaanse vriendin van mij, die in Nederland woont, kreeg voor                            |
|          | bronchitis antibiotica. Toen ze die ziekte het jaar daarop weer kreeg,                          |
|          | werd gezegd dat nu het lichaam zichzelf moest genezen. Voor ons                                 |
|          | Amerikanen is zoiets niet voor te stellen. Ze heeft toen een maand lang                         |
| 50       | bronchitis gehad, maar het is daarna nooit meer teruggekomen.                                   |

Naar: *de Volkskrant*, 16 juni 1990.

| | | | |
|---|---|---|---|
| de genezing | verkleinen | de homeopathie | zich vergissen |
| publiceren | de grootte | de kuur | de gezondheidszorg |
| de hartoperatie | het antibioticum | kuren | de bronchitis |
| de borstoperatie | de zetpil | onbekend | |
| de operatie | verbaasd zijn | de diagnose | |

## A   2   Berts brein op zaterdag

Uit: *NRC Handelsblad*, 26 augustus 1995.

het brein              de donor
de niertransplantatie  shit

---

**B**        **3   Dik Amerikaans**

Brenda (137 kilo), Nancy (160 kilo), Kathy (181 kilo) en
Margaret (227 kilo) zitten al aan een tafel in het Chinese
restaurant als ik er binnenkom. Dat geeft mij even de tijd om
te wennen. In vergelijking met andere landen zie je in
5  Amerika vrij veel dikke mensen op straat, maar zó veel
'enorme' vrouwen bij elkaar... En deze dames van de
*National Association to Advance Fat Acceptance* (Naafa) zijn
niet gewoon dik. Ze zijn moddervet.

**Hammen**
10  Elke maand eten ze samen in dit Chinese restaurant, de
vrouwen van de Naafa. Ze zijn prachtig aangekleed. Allemaal
dragen ze vrolijke jurken in felle kleuren van prachtige
stoffen. Ze lijken niet op de hoogte te zijn van de
voorschriften voor dikke mensen om vooral sombere kleding
15  te dragen. Ze schamen zich niet voor hun enorme borsten,
hun armen als hammen, hun benen die in plooien over de
enkels hangen. Ze zitten aan tafel met een houding van 'Wij
hebben lak aan de slankheidscultus in ons land'. Ze mogen
gezien worden.

20  **Te mager**
Ik zit tegenover Nancy Esposito ('bijna 160, op twee kilo
na!'), een aantrekkelijke blondine. Naast haar zit haar vriend

Jimmy Larry, een magere Griek. Nancy vertelt: 'Hij valt op
dikke vrouwen. Hij heeft me eens verteld dat hij een droom
25  had toen hij nog in Griekenland woonde. In zijn droom lag
hij in de armen van een hele dikke vrouw. Hij is naar
Amerika gekomen om die vrouw te vinden. Eigenlijk is
Jimmy mijn type niet. Ik vind hem te mager. Ik probeer hem
altijd dikker te krijgen. Van mij mag hij tien pond erbij
30  hebben. Maar wat ik hem ook te eten geef, het lukt niet.' Ik
vraag Jimmy waarom hij op dikke vrouwen valt. 'Ik weet het
niet. Ik vind ze gewoon prachtig, mooi. En lekker ook. Toen
ik Nancy zag, dacht ik meteen "Dit is de vrouw met wie ik
wil trouwen". Mijn moeder was ook nogal dik. Misschien
35  heeft het daarmee te maken?' aldus Jimmy.

**Veel en vet**
Wie zegt dat Amerikanen dikker zijn
geworden, heeft gelijk. Het aantal te
zware Amerikanen (twintig procent
40  boven het ideale gewicht) is volgens
het laatste rapport van het Bureau
voor Gezondheidsstatistieken in tien
jaar enorm toegenomen: van een
kwart naar een derde van de
45  bevolking. 'Er zijn verschillende
oorzaken te noemen,' aldus dokter
Xavier Pi-Sunyer, die meewerkte aan
het rapport. 'In de eerste plaats eten
Amerikanen altijd *veel*. En de *wijze*
50  waarop ze hun eten klaarmaken is heel
smakelijk, maar wel met veel suiker en
vet. Ook *zitten* Amerikanen veel, niet
alleen op hun werk, maar ook thuis.
Ze hebben over het algemeen veel
55  apparaten in huis en die doen alles
voor ze. Daar komt bij dat veel
mensen uren voor de televisie zitten of
spelletjes doen op de computer.'
Andere oorzaken voor het dikker
60  worden van het Amerikaanse volk
zouden de campagnes tegen het roken
zijn (van 4266 sigaretten per persoon

per jaar in 1962 naar 2800 in 1989) en het bezuinigen op onderwijs (op meer dan de helft van de lagere en middelbare
65 scholen wordt geen sport meer gegeven).
Het gezelschap aan tafel tenslotte vertelt me over een oorzaak die niet in het rapport staat: de vermageringskuren.
Nancy: 'Ik zou lang niet zo dik zijn, als ik niet mijn hele leven aan die vermageringskuren had gedaan. Elke keer als ik
70 met zo'n kuur stopte en weer normaal ging eten, vlogen de kilo's eraan, zodat ik na elke kuur meer woog.'

Naar: *Vrij Nederland*, 17 september 1994.

| | | | |
|---|---|---|---|
| in vergelijking met | de enkel | het gewicht | roken |
| moddervet | lak hebben aan | het rapport | de sigaret |
| de stof | de slankheidscultus | de gezondheidsstatistiek | het gezelschap |
| op de hoogte zijn van | op ... na | de wijze | de vermageringskuur |
| het voorschrift | vet | klaarmaken | |

## Verwijzen (3): wie en wat

**Wie wordt gebruikt voor personen, na een voorzetsel:**

Toen ik Nancy zag, dacht ik meteen 'Dit is de vrouw met wie ik wil trouwen'.
De man van wie ik houd, heet Bas.

**Wie** *betekent soms:* **'de persoon die'** *of* **'iedereen die'**

Wie zegt dat Amerikanen dikker zijn geworden, heeft gelijk.
Wie dit leest, is gek.

**Wat wordt gebruikt na:**

**alles**    – Niet alles wat hij zegt, is waar.
**iets**    – Er is iets wat ik je moet vertellen.
     – O ja? Nou, zeg het maar.
**dat**    – Je hebt hem toch niet alles gegeven?
     – Nee, alleen dat wat hij gevraagd had.

**Wat** *betekent soms* **'dat wat'**

Wat jij zegt, is niet juist.
Wat zij rookt, is echt heel zwaar.

## C   ▦ 4   Verzuipen in shampoo?

Hier volgt een interview met Joost Jobse, bedrijfsleider bij Bodyshop,
een bedrijf dat cosmetica verkoopt.

| | |
|---|---|
| *interviewer* | Wat is Bodyshop voor een bedrijf? |
| *Joost Jobse* | Wij verkopen cosmetica, dat wil zeggen shampoos, zeep, tandpasta, |
| 5 | crèmes, enzovoort, die niet op dieren getest zijn. Ze zijn van zuivere |
| | producten gemaakt en ze zijn niet slecht voor het milieu. |
| *interviewer* | Geeft u eens een voorbeeld? |
| *Joost Jobse* | Een flesje shampoo gemaakt van traditionele Marokkaanse modder van |
| | het Atlasgebergte of een crème van tropische vruchten bijvoorbeeld. |
| 10 *interviewer* | U haalt de producten ook uit de Derde Wereld? |
| *Joost Jobse* | Ja, als het even kan, doen we dat. |
| *interviewer* | En wat doet u met verpakkingen? |
| *Joost Jobse* | Wij nemen alle flesjes terug om weer te gebruiken. |
| *interviewer* | Hoe groot is uw bedrijf? |
| 15 *Joost Jobse* | In 1976 is de Engelse Anita Roddick, een onderwijzeres, begonnen met |
| | een klein winkeltje in natuurlijke producten in Brighton. Zij vond dat de |
| | handel in cosmetica te veel door mannen geleid werd. In die tijd was dat |
| | een hele revolutie. Nu is ze directeur van een enorme organisatie. We |
| | bestaan thans uit meer dan vierhonderd winkels over de hele wereld, |
| 20 | waarvan zestien in Nederland. Ons bedrijf verkeert in een heel gunstige |
| | positie op dit moment. Dit jaar komen er nog tussen de vier en tien |
| | winkels bij. We hebben bewezen dat er zelfs in deze zo traditionele tak |
| | van het bedrijfsleven mogelijkheden zijn om op een andere manier zaken |
| | te doen. Het kan dus ook anders in deze industrie, die gewoonlijk met |
| 25 | miljoenen guldens producten op de markt brengt en de ene behoefte na |
| | de andere schept. De glans van schoonheid komt uit het innerlijk. Die |
| | kun je niet uit een potje kopen. Dat is de gedachte die bij ons leeft. |
| *interviewer* | Dat klinkt heel fraai, maar jullie moeten toch ook winst maken? |
| *Joost Jobse* | Natuurlijk. Winst maken gebeurt ook in onze onderneming. Daarin |
| 30 | onderscheiden we ons niet van de andere. Maar daarnaast voelen we ons |
| | ook sociaal verantwoordelijk. Dat blijkt wel bij Bodyshop in de manier |
| | van werken, interesse voor de Derde Wereld en zorg voor goede |
| | producten. |
| *interviewer* | En wat is dan uiteindelijk de bedoeling? |
| 35 *Joost Jobse* | Wij willen naar een 'economie van het genoeg'. Op den duur kan het |
| | niet ons doel zijn de wereld te laten verzuipen in shampoo. Daarvoor is |
| | het nodig de consument te veranderen. Dat duurt lang, maar het is niet |
| | onmogelijk. |

*interviewer* U groeit heel snel. Hoe vindt u dat?

*Joost Jobse* Het klinkt misschien wat vreemd, maar ons probleem is, om niet te snel te klimmen.

*interviewer* Wat is nu uw taak?

*Joost Jobse* De juiste mensen kiezen, communiceren, praten, daar ben ik de helft van de tijd mee bezig. De boodschap moet van binnenuit gedragen worden. Je kan niet alleen van negen tot vijf medewerker van Bodyshop zijn. Dat is iedereen 24 uur per dag.

*interviewer* En dat lukt u ook?

*Joost Jobse* Jazeker, dat is geen probleem.

Naar: *Onze Wereld*, maart 1990.

| | | | | |
|---|---|---|---|---|
| verzuipen | zuiver | de onderwijzeres | de industrie | onderscheiden |
| de shampoo | traditioneel | de handel | de glans | de consument |
| de bedrijfsleider | het bedrijfsleven | leiden | de schoonheid | onmogelijk |
| de cosmetica | de modder | de revolutie | het innerlijk | klimmen |
| de zeep | tropisch | thans | de pot | communiceren |
| de tandpasta | de vrucht | verkeren | de gedachte | van binnenuit |
| de crème | de verpakking | gunstig | de winst | |
| testen | terugnemen | de tak | de onderneming | |

## *Geruststellen*

**Dat is geen probleem**

– En dat lukt u ook?
– Jazeker, dat is geen probleem.

**Dat is niet zo erg**

Daarvoor is het nodig de consument te veranderen. Dat duurt lang, maar dat is niet zo erg.

**Dat geeft niet**

– Ik heb deze oefening helemaal verkeerd gedaan.
– Dat geeft niet hoor, ik help u wel even.

**D**    **5**   # Zwarte sneeuw in Pingguoyuan

**Door Floris-Jan van Luyn**
**PEKING, 27 SEPT.** Als de
lucht geel wordt, blijven de
inwoners van Pingguoyuan als
5 het even kan thuis. Iedereen weet
dat de wind dan uit het zuiden
waait en dat het beter is om
binnen te blijven of om je adem
in te houden. Het gele stof dat de
10 wind al sedert jaren meeneemt,
hoort bij het dagelijks leven in
het westen van Peking. Het heeft
inmiddels een donkere laag stof
achtergelaten, 'zwarte sneeuw',
15 zeggen de inwoners.
De zwarte sneeuw komt van de
Shoudu Staalfabriek, één van
China's grootste staalfabrieken.
Al meer dan zeventig jaar zorgt
20 deze fabriek voor een vuile
lucht. De bewoners in de
omgeving weten ervan, ze
kunnen het voelen. Een arbeider
die bij de fabriek werkt, vertelt:
25 'Denk maar niet dat de
directeuren hier wonen. We
hebben al zo vaak geklaagd,
maar ze zeggen steeds dat het
onderzoek nog bezig is. En de

*Voor tien gulden per half uur krijg je in Peking een hap schone lucht*

30 machines daar gaan dag en nacht
door. Ze willen niet erkennen dat
dat onderzoek nooit af komt.'

De meer dan tien procent
economische groei per jaar doet
35 een aanslag op het milieu én de
gezondheid van de mensen in
China. Meer dan tachtig procent
van China's rivieren zijn zo vuil,
dat veel grote steden moeite
40 hebben om schoon drinkwater te
produceren. Het water dat uit de

kraan komt in een stad als
Shanghai (13 miljoen inwoners)
bevat sporen van onder andere
45 olie en varkensfaeces. En
heldere, blauwe luchten behoren
er bijna tot het verleden. In
Peking is de luchtvervuiling zo
ernstig dat rijke inwoners van
50 de Chinese hoofdstad af en toe
naar een speciale bar gaan voor
een hap schone lucht. De kosten
van zo'n hap? Tien gulden per
half uur.

Naar: *NRC Handelsblad*, 27 september 1995.

| | | | |
|---|---|---|---|
| inhouden | de staalfabriek | de groei | de varkensfaeces |
| sedert | de arbeider | een aanslag doen op | helder |
| achterlaten | de machine | het drinkwater | de luchtvervuiling |
| de laag | erkennen | de olie | de hap |

## *Woordvorming (2): samenstellingen*

**Samenstelling: twee of meer woorden vormen samen een woord**

**Zelfstandige naamwoorden**

| | |
|---|---|
| de huisarts | (huis + arts) |
| het drinkwater | (drink + water) |
| de luchtvervuiling | (lucht + vervuiling) |
| | |
| de bedrijfsleider | (bedrijf + s + leider) |
| de hondenpoep | (hond + en + poep) |

*De samenstelling krijgt het lidwoord van het **laatste** zelfstandig naamwoord:*

| | |
|---|---|
| **de** luchtvervuiling | **de** lucht + **de** vervuiling |
| **het** telefoonnummer | **de** telefoon + **het** nummer |
| **de** huisarts | **het** huis + **de** arts |

**Bijvoeglijk naamwoorden**

| | |
|---|---|
| donkerbruin | (donker + bruin) |
| moddervet | (modder + vet) |
| doodarm | (dood + arm) |

**Werkwoorden**

| | |
|---|---|
| plaatsvinden | (plaats + vinden) |
| achterlaten | (achter + laten) |
| thuiskomen | (thuis + komen) |

E      **6   Vaste prik in november**

### *Bent u cara-, hart-, of diabetespatiënt, vraag uw huisarts dan naar de griepprik*

### Behoort u tot de risicogroep voor griep?

Voor mensen die tot de risicogroep voor griep behoren, kan een griep ernstige complicaties met zich meebrengen. Deze zijn eenvoudig te voorkomen. Door in november een griepprik bij uw
5   huisarts te halen. Op het overzicht kunt u zien of u tot de risicogroepen voor griep behoort.

# U behoort niet tot de risicogroepen voor griep?

U behoort niet tot een van de genoemde risicogroepen (zie overzicht). Voor u is de griepprik dan niet medisch noodzakelijk en wordt daarom niet vergoed door uw ziekenfonds of ziektekostenverzekering. Toch kan het verstandig zijn u tegen de griep te laten inenten. Bijvoorbeeld omdat u ouder bent dan 65 jaar, iemand verzorgt die tot een risicogroep behoort, op het werk slecht gemist kan worden of in aanraking komt met vele andere mensen. Neem hierover contact op met uw huisarts.

| | |
|---|---|
| *Hartpatiënten* | Mensen die een hartaanval gehad hebben, hartklachten hebben zoals hartritmestoornissen, of hartoperaties hebben ondergaan. |
| *Cara-patiënten* | Mensen die last hebben van astma (benauwdheden), chronische bronchitis (veel hoesten en slijm opgeven) of longemfyseem (kortademig en benauwd bij kleine inspanning). |
| *Diabetes-patiënten* | Mensen die insuline moeten spuiten, tabletten met bloedsuikerverlagende middelen gebruiken (suikerziekte) of een dieet moeten volgen om hun bloedsuikergehalte te reguleren. |
| *Nierpatiënten* | Mensen met nierziekten, waarbij de nieren onvoldoende capaciteit hebben (dus niet bij nierstenen). |
| *Mensen met een verlaagde afweer* | Mensen met een verlaagde afweer door ziekte of medische behandeling. |

Naar: Nederlandse Influenzastichting / ministerie vws, Den Haag.

**E** **7 Hoe diep**

Er komt een dag dat ik besluit:
geen schaamte om mijn kleren uit,
jouw handen toelaat op mijn huid,
al weet ik nog niet wie jij bent.

5  Voorlopig schaam ik mij nog door.
Twee blote lijven vind ik goor,
omdat ik nog bij niemand hoor
die 't mijne al van buiten kent.

Hoe diep gaat liefde, is de vraag.
10  Hoe ver voorbij de randen?
Tot in mijn ingewanden?
Tot hart en lymfeklieren?
Tot botten, pezen, spieren?
Hou jij ook van mijn nieren?
15  Of gaat de liefde toch misschien
alleen tot wat het oog kan zien?

Stel dat ik door een ongeval
mijn lichaam niet meer voelen zal,
aai jij dat lichaam dan nog wel?
20  Of stopt de liefde bliksemsnel?

Hoe diep gaat liefde, is de vraag.
Hoe ver voorbij de randen?
Tot in mijn ingewanden?
Tot hart en lymfeklieren?
25  Tot botten, pezen, spieren?
Hou jij ook van mijn nieren?
Of gaat het om de schone schijn:
dit vel dat ik probeer te zijn?

Stel dat ik door een ongeluk
30  mijn been verlies en loop met kruk,
kus jij die kruk dan of dat been?
Of stopt de liefde dan meteen?

*Ted van Lieshout*

Uit: Ted van Lieshout,
*Mijn botjes zijn bekleed met
deftig vel.*
Leopold Amsterdam 1990.

16 Stel nou even...

## A   🖭 1   Internet huwelijk tegen wil en dank

Charlene is bibliothecaris en komt uit Den Bosch. Robert heeft hetzelfde beroep en woont in Brisbane, in Australië. Ze hebben een probleem.

| | |
|---|---|
| *Charlene* | Nou, het begon vorig jaar in maart geloof ik. Via mijn beroep |
| 5 | kwam ik in contact met Robert, tenminste, we ontmoetten elkaar via Internet. Hij verscheen af en toe op het scherm van m'n computer met een berichtje via E-mail en zo raakten we in gesprek. Al snel zochten we een parkeerplekje langs de digitale |
| 10 | snelweg om elkaar wat beter te leren kennen. Na een paar weken schreven we elkaar, zo'n twintig liefdesbrieven per dag. En een half jaar later vroeg Robert mij ten huwelijk – en ik zei 'ja'. |
| *interviewer* | Zonder dat je hem ook maar één keer gezien had, zei je ja? |
| *Charlene* | Ja. Ik wist gewoon zeker dat het een prima man was. In december vloog Robert naar Nederland. Het was zo heerlijk om |
| 15 | hem op het vliegveld in het echt te zien! En drie dagen later waren we getrouwd. |
| *interviewer* | En toen begonnen de problemen. |
| *Charlene* | Ja, dat klopt. Ik wilde zo snel mogelijk naar Australië vliegen om daar te blijven. Maar de Australische autoriteiten staken daar |
| 20 | onverwachts een stokje voor. Ik mag het land niet in, omdat ik volgens hen niet gezond genoeg ben. |
| *interviewer* | Niet gezond genoeg? |
| *Charlene* | Ja, ik kan het nog steeds bijna niet geloven. Moet je je voorstellen, ik ben te zwaar om in Australië te gaan wonen. Om precies te zijn, |
| 25 | elf kilo te zwaar. Pas als ik die kilo's kwijt ben, mag ik het land in. |

Eerst dacht ik dat het een grap was en dat ze het niet zo nauw
zouden nemen. Maar regels zijn regels in Australië.

*interviewer*   Hebben jullie daar niet tegen geprotesteerd?

*Charlene*   Ja natuurlijk. We hebben al een paar keer een officiële klacht
30          ingediend. Maar niets helpt.

*interviewer*   Hoe gaat jullie leven er nou de komende maanden uitzien?

*Charlene*   We leven nu noodgedwongen 'als man en vrouw op Internet'.
En dat zullen we nog wel een tijdje blijven doen.

*interviewer*   Denk je dat je dat lang volhoudt?

35   *Charlene*   Ach, ik laat wel eens een traantje, maar we geven elkaar in onze
briefjes via de computer veel schouderklopjes. Zo steunen we
elkaar, we hebben inmiddels veel ervaring hè.

| | | |
|---|---|---|
| tegen wil en dank | de liefdesbrief | de grap |
| de bibliothecaresse | het vliegveld | het niet zo nauw nemen |
| het scherm | de autoriteiten | noodgedwongen |
| de parkeerplek | ergens een stokje voor steken | een traan laten |
| digitaal | onverwachts | de schouderklop |

## *Om + te + infinitief*

**De constructie 'om + te + infinitief' kan gebruikt worden
om een doel of een bepaling uit te drukken.**

**1 Doel**     Ik wilde zo snel mogelijk naar Australië vliegen om daar te blijven.

Kuldip draagt een dolk 'om anderen te beschermen tegen
onderdrukking'.

– Moet je nu al weer weg? Waarom kom je eigenlijk nog thuis?
– Om te eten.

**2 Bepaling**     Het was zo heerlijk om hem op het vliegveld in het echt te zien!
Ik vind het vervelend om 's avonds laat over straat te moeten.

Een bekertje om uit te drinken.
Een kind om te zoenen.

Nooit te oud om te leren.
– Hoeveel verdien je per maand?
– Genoeg om redelijk van te leven.

# B   2   Kerntechnologie

Vlak voor de Tweede Wereldoorlog wordt door onderzoekers
'kernsplijting' ontdekt. Oorspronkelijk wordt het alleen gebruikt om
atoombommen te maken. Na 1950 begint men te bedenken hoe er
ook in tijden van vrede gebruik kan worden gemaakt van deze
5   technologie, bijvoorbeeld voor het verkrijgen van elektriciteit. De
eerste kerncentrales verschijnen. Tot 1970 draaien over de hele
wereld echter nog steeds meer kerncentrales voor kernwapens dan
voor het leveren van stroom. Steeds meer landen willen niet
achterblijven op dit gebied en zijn geïnteresseerd in kerntechnologie.
10   Kerncentrales en kerntechnologie blijken dan ook een belangrijk
exportartikel te zijn, dat door verschillende landen wordt uitgevoerd.

**Verdrag**
Na 1970 begint men zich meer en meer bewust te worden van de
consequenties van de kerntechnologie voor alle levende wezens op
15   aarde: niet alleen de productie van kernenergie is gevaarlijk, maar het
is ook niet duidelijk wat sommige landen ermee doen. Het is niet
voldoende om bordjes op te hangen bij de kerncentrales met
'Gevaarlijk!' en 'Voorzichtig!'. Men sluit daarom het zogenaamde
'non-proliferatieverdrag'. Hiermee wil men voorkomen dat het aantal
20   kernwapens in de wereld toeneemt. Het International Atomic Energy
Agency controleert dit.

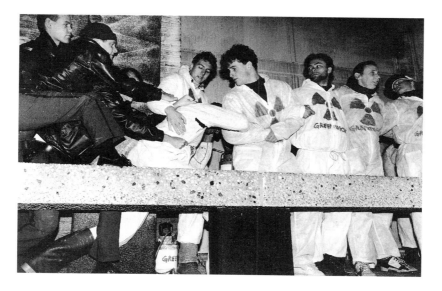

De waarde van dit verdrag is niet zo groot, aangezien verscheidene landen, zoals Frankrijk, China en India, het verdrag niet ondertekenen. In 1995 en 1996 zien we dan ook dat Frankrijk
25  verschillende kernproeven neemt rond Mururoa. Veel landen protesteren, maar Frankrijk luistert niet. Een ander nadeel is dat men pas achteraf kan zeggen dat een toepassing van de technologie niet juist is geweest, dus als de kernwapens al gemaakt zijn. Tenslotte is het verdrag ook niet helemaal eerlijk, want de producerende landen
30  zelf blijven buiten schot. Zij gaan gewoon door met het produceren en verkopen van kerncentrales en kerntechnologie.

**Verzet**
Natuurlijk is er verzet. 'Als onze regering niet meer doet om het aantal kernwapens te controleren, dan zullen wij meer moeten doen
35  om onze regering te controleren,' zei ooit Mario Cuomo, een man die New York jaren bestuurde. En hij was niet de enige die zich verzette. In de jaren tachtig protesteerden verschillende groepen in Nederland met zinnen als 'Stop de kernwapens!' en 'Alle kernwapens de wereld uit!' En nog steeds zijn er overal bewegingen die waarschuwen voor
40  de verschrikkelijke gevolgen van kerntechnologie voor alle levende wezens op aarde: enerzijds het gevaar voor ongelukken met kerncentrales, anderzijds voor het gebruik van kernwapens. Ze blijven de aandacht vestigen op dit probleem. Als er een ongeluk gebeurt, zullen de landen mogelijk elkaar de schuld geven: 'Wij hebben het
45  niet gedaan, wij hebben alleen kennis en materialen geleverd' of: 'Het is onze schuld niet, want wij hebben de kerntechnologie niet uitgevonden'.
Maar misschien komt het niet zover. Misschien krijgt de Amerikaanse president Eisenhower gelijk, die in 1959 zei: 'De mensen zullen op
50  een dag zo ontzettend naar vrede verlangen dat de regeringen beter aan de kant kunnen gaan en de macht aan het volk geven.'

Naar: *Wie zei: 'Ik wist het niet!'?*, een uitgave van Vrouwen voor Vrede, Nijmegen.

| | | | |
|---|---|---|---|
| de Tweede Wereldoorlog | de stroom | het non-proliferatieverdrag | de aandacht vestigen op |
| de kernsplijting | achterblijven | ondertekenen | de schuld |
| de atoombom | de kerntechnologie | de toepassing | het materiaal |
| de technologie | het exportartikel | het verzet | verlangen naar |
| de elektriciteit | de consequentie | het kernwapen | de macht |
| de kerncentrale | het levend wezen | enerzijds … anderzijds | |
| leveren | voorkomen (voorkómen) | het gevaar | |

## *Waarschuwen*

| | |
|---|---|
| **Voorzichtig** | – Doe je voorzichtig?<br>– Natuurlijk. |
| | Het is in het hele land mistig. Rijd voorzichtig. |
| **Stop** | – Stop! Het licht staat op rood.<br>– Dank je, ik zag het niet. |
| | Stop de kernwapens! |
| **Pas op** | Kareltje, je mag niet alle koekjes opeten. Pas op, hoor!<br>Pas op voor de hond. |
| **Kijk uit** | – Kijk uit! Een auto.<br>– Ja, die reed harder dan ik dacht. |
| | – Nou, tot ziens dan.<br>– Kijk je uit? Het sneeuwt inmiddels behoorlijk. |

## C    3   Ruiken is gewoon ontzettend belangrijk

Jan en Karlijn zijn collega's. Ze geven allebei biologieles op een
middelbare school. In de pauze drinken ze even een kopje koffie
samen.

|   |   |   |
|---|---|---|
| | *Karlijn* | Heb je gisteravond dat programma op de BBC gezien? |
| 5 | *Jan* | Nee, waar ging het over? |
| | *Karlijn* | Het was, hoe heet het ook al weer, dat programma over wetenschap bij<br>de BBC... eh... o ja, *Horizon*. Het was bij *Horizon* en het ging over reuk,<br>onderzoek naar de reuk. |
| | *Jan* | Was het interessant? Hè, wat jammer dat ik het gemist heb. |
| 10 | *Karlijn* | Ja, er schijnen weer nieuwe ideeën te zijn over de reuk. Er was een Britse<br>biofysicus die een verklaring had gevonden voor de manier waarop de<br>reuk werkt, een chemische verklaring. Het was erg moeilijk, maar hij<br>vertelde zo enthousiast hoe hij dat ontdekt had. Elke keer begreep hij<br>weer iets beter hoe moleculen in de neus opgenomen worden en hoe ze |
| 15 | | daarna in de hersenen terechtkomen. |
| | *Jan* | Interessant hè? Zeiden ze ook nog wat over de psychische werking<br>van geuren? |

| | |
|---|---|
| *Karlijn* | Nee, niet veel. Zeker is wel dat dit zintuig belangrijk is bij allerlei psychische processen. Een bepaalde geur kan beïnvloeden hoe je je voelt. |
| 20 | Ook kan je door een bepaald luchtje ineens aan vroeger denken. Je ruikt iets en dan denk je 'Hé, zo rook het altijd in het huis van mijn oma'. |
| *Jan* | Ik moet nu denken aan dat boek van Süskind: *Het parfum*. Ken je dat? |
| *Karlijn* | Nee. |

| | |
|---|---|
| *Jan* | Dat gaat over een jongen die heel goed kan ruiken. Alles wat hij ruikt, |
| 25 | kan hij precies onderscheiden en benoemen. |
| *Karlijn* | Ja, ruiken is gewoon ontzettend belangrijk, het beïnvloedt je hele leven. Reuk waarschuwt bijvoorbeeld ook in gevaarlijke situaties. Als er brand is of zo. |
| *Jan* | Je snapt eigenlijk niet dat er niet meer onderzoek naar gedaan wordt. |
| *Karlijn* | Nee… Geur speelt trouwens ook een grote rol op seksueel gebied, wist je |
| 30 | dat? Ik heb een keer gelezen dat het daardoor komt dat reuk als zintuig van de lust wordt gezien. Mensen denken daarbij meteen aan dierlijke driften en zo. Daarom heeft het zo'n lage status en werd er tot nu toe weinig onderzoek verricht op dat gebied. Tegenwoordig wordt er wat onderzoek naar gedaan, omdat blijkt dat reukstoornissen ernstige gevolgen kunnen |
| 35 | hebben. Daardoor kun je namelijk geheugenproblemen krijgen. De geuren die we onthouden zijn verbonden met iets wat ons emotioneel geraakt heeft, zegt men… |
| *Jan* | Heb je verder nog iets nieuws gehoord in dat programma? |
| *Karlijn* | Even denken… O ja. Wist je dat een mens ongeveer |
| 40 | tweehonderdduizend geuren kan onthouden? |
| *Jan* | Jeetje, wat veel. Stel je voor dat je al die geuren bewust kon herkennen! |
| *Karlijn* | Wie weet kan dat over honderd jaar… |

Naar: *VPRO-gids nr. 47*, 1995 en *Horizon*, uitgezonden door de BBC, 27 november 1995.

| | | | | |
|---|---|---|---|---|
| de biologieles | het molecuul | het zintuig | de status | verbonden zijn met |
| de reuk | de hersenen | seksueel | verrichten | |
| de verklaring | psychisch | de lust | de reukstoornis | |
| enthousiast | de geur | de drift | het geheugenprobleem | |

## *Toekomst*

### Je kunt op verschillende manieren de toekomst beschrijven.

| | |
|---|---|
| *de onvoltooid tegenwoordige tijd* | Ik bel je morgen nog even op.<br>Wie weet kan dat over honderd jaar.<br>Ik neem volgende week vakantie. |
| **zullen** + *infinitief* | Als onze regering niet meer doet om het aantal kernwapens te controleren, dan zullen wij meer moeten doen om onze regering te controleren.<br>En dat zullen we nog wel een tijdje blijven doen. |
| **gaan** + *infinitief* | Moet je je voorstellen, ik ben te zwaar om in Australië te gaan wonen.<br>Hoe gaat jullie leven er nou de komende maanden uitzien? |

*Let op:* de onvoltooid tegenwoordige tijd wordt meestal gebruikt in combinatie met een bepaling van tijd

Ik bel je morgen nog even op.
Ik neem volgende week vakantie.

## D    4   Ma Bell

Het saaiste boek ter wereld is zonder twijfel *The World's Telephones*. Met z'n grijze kaft is het op het eerste gezicht nog saaier dan een gewoon telefoonboek. Er staan uitsluitend rijtjes, tabelletjes en namen van landen en steden in. Maar met de rekenmachine erbij wordt het een heel leuk boek. Dan
5   blijkt ineens dat er in Parijs, New York en Tokio samen meer telefoons staan dan in heel Afrika. Zweden heeft 66 telefoonnummers op honderd inwoners, tegen 1,6 nummers op honderd Afrikanen. De ongelijkheid op de wereld wordt bijna nergens zo duidelijk geïllustreerd als in *The World's Telephones*. Het boek van American Telephone and Telegraph – in de vs beter bekend als
10   *Ma Bell* – komt sedert 1912 elk jaar uit. Het bevat gegevens over het telefoonverkeer tussen landen en steden.

### Nummers

Het leukste van het boek is dat het laat zien dat de communicatie tussen mensen niet wordt bepaald door het politieke regime waaronder zij zuchten, maar eerder
15   historisch, economisch en financieel bepaald is. Het boek gaat over meer dan 423

miljoen telefoons en ruim drie miljard mensen. Het is geen wonder dat de Verenigde Staten met 118 miljoen telefoonnummers voorop lopen, gevolgd door Japan met vijftig miljoen. Het gaat dan om absolute aantallen. Gerekend per hoofd van de bevolking lopen de Scandinavische landen op kop. Denemarken
20   bijvoorbeeld heeft 55 telefoonnummers per honderd inwoners, Finland 48, dat is evenveel als de VS. Dan volgen West-Duitsland (45) en Frankrijk (44,7). Japan komt daar weer achter met 41 lijnen. China ontbreekt in het jongste verslag, maar Rusland is na zeven jaar weer terug in het boek. In Rusland, met 27,6 miljoen toestellen, heeft één op de tien inwoners telefoon, tegen één op de twee
25   Amerikanen. Dat is toch nog iets anders dan de 108.000 toestellen die worden gedeeld door 46 miljoen Ethiopiërs, ongeveer twee op duizend. Dat cijfer geldt ongeveer ook voor Centraal Afrika, Soedan en Tanzania.

**Gesprekken**

De vraag wie met wie belt op deze wereld blijkt ook interessante inzichten op te
30   leveren. Dat bijvoorbeeld vanaf Bermuda, de Bahama's en de Kaaimaneilanden het meest met de VS wordt gebeld is logisch. Maar dat 85 procent van hun internationale telefoonverkeer naar de VS gaat is buiten alle proporties. Het lijkt erop dat de eigen bevolking nauwelijks gelegenheid heeft naar het buitenland te bellen en uitsluitend gepensioneerde Amerikanen over een toestel beschikken.
35   In Afrika wordt nog steeds vooral met de vroegere overheersers gebeld. Eén op de twee telefoongesprekken vanuit Gabon gaat naar Frankrijk. Zoiets heeft Kenia met Engeland. Van 23 Afrikaanse landen melden er negen dat het meest naar Engeland wordt gebeld, bij acht landen staat Frankrijk als eerste, in één land wordt de VS het meest gebeld. In Zuid-Amerika staan de VS uiteraard voorop als populairste land.
40   Frankrijk drijft de meeste handel met Duitsland. De meeste gesprekken vanuit Frankrijk naar het buitenland gaan dan ook naar Duitsland. Maar de Bondsrepubliek belt veel minder vaak terug. Dat land telefoneert liever met Oostenrijk, Zwitserland en Italië. Dat Rusland het meest met de landen in Oost-Europa belt, zal niemand verbazen. Maar Oostbloklanden op hun beurt bellen veel
45   liever met het Westen. In Liechtenstein zijn 180 telefoonnummers op honderd inwoners. Waarschijnlijk heeft elke postbus daar telefoon.

Naar: NRC *Handelsblad*, 6 april 1990.

| | | | |
|---|---|---|---|
| de twijfel | illustreren | voorop lopen | buiten proporties |
| de kaft | het telefoonverkeer | per hoofd van de bevolking | gepensioneerd |
| op het eerste gezicht | het regime | op kop lopen | de overheerser |
| het telefoonboek | zuchten | ontbreken | handel drijven |
| de tabel | historisch | het verslag | de postbus |
| de rekenmachine | het is geen wonder | logisch | |

E 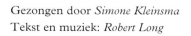 **5 Stel nou even**

Stel nou even, denk eens even
dat Mozart nog zou leven;
dat Brahms en Verdi en 'Chopijn'
er nu nog zouden zijn.
5 En Rossini, Paganini of Giacomo Puccini
Tsjaikovski, Händel en Léhar,
ik noem er maar een paar.

Misschien gaf Mozarts moeder
haar kind nu een computer
10 om op te componeren,
in plaats van ganzeveren.
Hoe zou het met Franz Liszt zijn,
zou die nu toetsenist zijn,
of zou hij tegenwoordig synthesizer-
specialist zijn?

15 Neem nou Haydn, stel dat Haydn
bestond in onze 'taiden',
dan speelde hij geen cello, maar
elektrische gitaar.

En Wagner, Strauss en Schumann
20 die zouden af en toe dan
als trio op tournee zijn
en vaak op de tv zijn.
Hun platen zouden één staan,
doorlopend nummer één staan.
25 En als er een concert was,
dan zou iedereen er heen gaan.

Ach, in die tijd van clavecimbels en violen
En zonder compact-disc en satelliet-tv,
had je per eeuw hooguit een stuk of tien idolen.
Je had geen hitparades en geen sekssymbolen.
30 Maar wie talent had die kon toen nog tot het eind der tijden mee.

Gezongen door *Simone Kleinsma*
Tekst en muziek: *Robert Long*

# Kaart van het Nederlandse taalgebied

# Overzicht van kaders

De nummers verwijzen naar de hoofdstukken

# Register

## Gebruikte afkortingen
aanw vn = aanwijzend voornaamwoord
bn = bijvoeglijk naamwoord
bw = bijwoord
vw = voegwoord
vz = voorzetsel

De woorden met een ☐ staan in P. de Kleijn en E. Nieuwborg, *Basiswoordenboek Nederlands*, Wolters-Noordhoff, Groningen, 1983. De nummers achter de woorden verwijzen naar de les waarin ze voor het eerst voorkomen. Woorden zonder nummer zijn in *Code Nederlands, deel 1*, aan de orde geweest.

## A

à 5
☐ het aandeel
    een aandeel hebben in 14
☐ aandoen 9
☐ aangaan 1
☐ aangezien 9
☐ aankleden 7
☐ aankondigen 6
☐ de aanleg 6
☐ de aanleiding 7
☐ aannemen 3
☐ aanpassen 8
de aanslag 15
    een aanslag doen op 15
☐ aansluiten 7
aanspreken 1
aantrekkelijk 14
☐ aanvaarden 3
☐ aanvankelijk 5
aanvoeren 13
☐ aanzienlijk 10
aanzitten 6
    achter iemand aanzitten 6
☐ de aarde 1
☐ aarzelen 9
de academie 12
accepteren 11
☐ achterblijven 16
☐ de achtergrond 14
achterlaten 15
☐ de acteur 1
actief 2
de activist 2
☐ de activiteit 2
de advertentie 3
afdrogen 5

afgaan 6
afgelopen 14
☐ afhankelijk (van) 3
☐ afkomen 11
de afloop 5
☐ afpakken 11
het amateurtoneel 11
☐ afsluiten 13
☐ de afstand 6
aftrekken 10
het afval 4
het afvalmuseum 4
afwassen 3
agressief 7
de air miles 8
het alarm 6
☐ aldus 3
☐ het algemeen 3
    over het algemeen 3
de alleenstaande 7
de allochtoon 14
allochtoon 14
☐ alsof 3
☐ althans 12
de ambitie 5
ambitieus 5
de ambulance 6
de ambulancedienst 8
☐ anderzijds 16
    enerzijds... anderzijds 16
☐ de angst 8
☐ angstig 6
het antibioticum 15
de antropoloog 5
☐ het antwoord 1
☐ apart 4
☐ de arbeider 15

de archeologie 2
de architect 14
☐ arm 11
de armband 12
artistiek 1
☐ de arts 12
de asielzoeker 7
de astrologie 1
astrologisch 10
de atlete 1
de atoombom 16
de autoriteiten 16
de autotelefoon 6
de avondwinkel 7

## B

☐ de baas 2
    iemand/iets de baas zijn 13
☐ de baby 1
☐ het bad 13
de badkamer 14
☐ de bagage 8
de bak 8
☐ de bakker 7
☐ de bal 4
☐ de band 8
het bankstel 9
☐ de basiliek 11
☐ beantwoorden 1
☐ het bed 4
☐ bedenken 1
☐ de bedoeling 7
☐ het bedrag 6
de bedrijfsleider 15
het bedrijfsleven 15
☐ het beest 4
begeleiden 6

de begrafenis 10
de begrafenisondernemer 10
☐ begrijpelijk 11
☐ het begrip 5
behalen 7
☐ behandelen 9
☐ de behandeling 7
☐ de behoefte 10
☐ behoorlijk 11
beïnvloeden 11
de bejaarde 2
het bejaardenhuis 5
☐ bekendmaken 3
☐ bekennen 1
de bekeuring 6
☐ bekijken 4
☐ het belang
    van belang zijn (voor) 14
☐ beleefd 10
☐ het beleid 7
☐ beleven 8
belonen 8
☐ beloven 3
benaderen 1
benoemen 7
☐ bepalen 3
beperkt 7
☐ bereid 9
bereikbaar 14
☐ bereiken 2
berekenen 9
☐ de berg 7
☐ het beroep
    een beroep doen op 9
berucht 2
bescheiden 12
☐ beschermen 7

# Bronvermelding

## Omslag
Mariet Numan, Amsterdam

## Tekeningen
Mariet Numan, Amsterdam: 8, 22, 28, 42, 44, 55, 66, 74, 79, 82, 92, 93, 97, 100, 107, 112, 113, 126, 132, 133, 135, 160, 161, 175, 180
Armand Haye, Amsterdam: 184

## Illustraties
ANP, Weerkaart, Amsterdam, uit: De Volkskrant, Amsterdam: 38
Maurice Boyer, Amsterdam: 63
Buitenlanders Bulletin, 1990: 155
Consumentenbond, Den Haag: 103 2x
CJP, Amsterdam: 125
Sake Elzinga, Assen: 36
Fietsersbond ENFB, Woerden: 87
Gemeentewaterleidingen, Amsterdam: 147
Hollandse Hoogte, Amsterdam: 0 Roger Dohmen, 1 Guido van Dooremaalen, 2 Mark Kohn, 4 Roeland Fossen, 5 Petterik Niggers, 12 Piet den Blanken, 14 Peter Hilz, 15 Chris Keulen, 17 Maartje Geels, 19 Sake Elzinga, 23 Jan Bogaerts, 33 Marcel Malherbe, 4 rechtsboven Jan Bogaerts, 4 linksboven Bert Verhoeff, 4 linksonder Bert Verhoef, rechtsonder Ineke Smit, 45 Anne Knuvelder, 49 Laura Samson-Rous, 53 Jan Bogaerts, 54 Bart Eijgenhuijsen, 56 Michiel Wijnbergh, 59 Co de Cruijf, 61 Bob Bronshoff, 68 Werry Crone, 69 Hans Kouwenhoven, 70 Klaas Koppe, 71 Jos Lammers, 75 Gerlo Beernink, 78 Arnold Karskens, 81 Peter Hilz, 85 Jaime Halegua, 88 Marcus Peters, 90 Carel van Hees, 94 Sake Elzinga, 104 Rob Huibers, 116 Bob Bronshoff, 119 Jan Bogaerts, 121 Marcus Peters, 128 Carel van Hees, 138 Bert Verhoeff, 142 Jaime Halegua, 144 Walter Herfst, 150 Hannes Wallrafen, 151 Gé Dubbelman, 153 Flip Franssen, 162 Wim Oskam, 166 Sonja Iskov/2 MAJ, 175 Freek van Arkel, 177 Bert Verhoeff
Kamagurka, Amsterdam, *Bert's brein op zaterdag*, uit: NRC Handelsblad, Rotterdam: 164, 165
Daniel Koning, Amsterdam: 32 rechts
Harro Meijnen, Algemeen PolitieBlad, Den Haag: 58
Vincent Mentzel, Den Haag: 64, 170
Ministerie van VROM, Den Haag 1992: 44

Marcel Molle/Transworld, Haarlem: 46
Piet Mondriaan, International Licensing Partners, Amsterdam: 123, 124
Mortensen: 32 onder
Nederlands Aardappel Bureau, NIVAA, Den Haag: 80
NOVIB Kalender 1996, Novamedia, Amsterdam: 136, 137
NS Design, Utrecht: 31
Arenda Oomen, Leiden: 110
Reuters Ltd., Brussel: 24
Freddy Rikken, Tiel: 30
Roel Rozenburg, Voorburg: 95
Luuc Stafleu, Utrecht: 39
Sunshine, Almere: 26, 34, 157
Goos van der Veen, Hilversum: 52
Stefan Verwey, Beek-Ubbergen, De Volkskrant, Amsterdam: 163
Visualogik, Den Bosch: 32
De Volkskrant/Erik d'Ailly, Amsterdam: 71
De Volkskrant, Amsterdam: 114, 115
Waddenreisgids, VVV Nederland: 149
Peter de Wit, Amsterdam, *Sigmund*, De Volkskrant, Amsterdam: 10, 113

## Teksten
Kader Abdolah, *De witte schepen*, uit: *De adelaars*, 1993, Uitgeverij De Geus, Breda: 161
Ad Valvas, Amsterdam: 49, 62, 133, 158
Erdal Balci, Utrecht, *De studie*, 12/8/'95, De Volkskrant, Amsterdam: 111
BijEEN-publikatie 1987, *Wie alleen loopt raakt de weg kwijt*: 54, *Toen de toeristen kwamen*: 92
Blikopener, nr. 1, 1991: 5, 8
Godfried Bomans, *De 100-jarige*, uit: *Kopstukken*, 1983, Elsevier, Amsterdam/ Brussel: 127
Buitenlanders Bulletin, 1990: 156
Consumentengids, 1996, Den Haag: 103
De Echo, Amsterdam: 60, 108
Eindhovens Dagblad, 1994: 7
Kirsten Emous, Heemstede, *De cultuur van ziekte en genezing*, 16/6/'90, De Volkskrant, Amsterdam: 164
Karel Eykman, *Opa is nieuwsgierig*, uit: *De liedjes van Ome Willem*, 1977, De Harmonie, Amsterdam: 22
Halil Gür, *Ik ben boos op Holland*, uit: *Wakker het vuur niet aan*, 1993 Uitgeverij De Geus, Breda: 74
Het Goede Doel/Red Bullet Productions door Robot Facilities/Robin Freeman, Hilversum,

*Vriendschap*: 82
Goois Weekblad, 1995: 11
Groningse Dossiers: 131
Handelspost, 4 oktober 1990: 140
Toon Hermans, *Zo waait de wind*, De Fontein
bv, 1994, Baarn: 44
H.J.A. Hofland, *Zitten en staan*, uit: NRC
Handelsblad, Rotterdam: 63
Kampioen, ANWB, 1995, Den Haag: 83, 143
Keesings Onderwijsbladen, december 1988: 18
Leidse Welzijnsorganisatie en Leidse
Vrijwilligerscentrale, 1995: 65
Ted van Lieshout, *Hoe diep*, uit: *Mijn botjes zijn
bekleed met deftig vel*, 1990, Uitgeverij Leopold,
Amsterdam: 173
Robert Long/ EMI Music, Hilversum, *Stel nou
even*: 183
Lucebert, *Visser van ma yuan*, uit: *Verzamelde
gedichten*, De Bezige Bij, 1974, Amsterdam: 148
NRC Handelsblad, Rotterdam: 19 Mw. Kok,
Groningen, *Je bent jong en je wilt wat*, 26/8/'95,
25 Hans Klippus, *Zhi Hong Huang maakt
kogelstoten minder saai*, 7/8/'95, 26 Bernard
Hulsman, *Het sprekende lichaam*, 11/8/'95, 31
Remmelt Otten, *Negen vrouwen in een zeventien
meter lange Mercedes*, 26/8/'95, 38 Dhr.
Deurvorst, *Alle jongens willen vuilnisman worden*,
21/9/'95, 96 Harm Botje, Amsterdam,
*Mensenrechten kun je leren*, 13/10/'94, 170 Floris-
Jan van Luyn, *Zwarte sneeuw in Pingguoyuan*,
27/9/'95, 183 Dhr. Pols, *Ma Bell*, 6/4/'90
Nederlandse Influenza Stichting/Ministerie van
VWS, Den Haag: 172
Onze Wereld, Amsterdam: 53, 120, 152, 169
Ouders van Nu, september 1991, VNU,
Haarlem: 21
Reflector, special racisme, mei 1994: 58
Wim Sonneveld, *Dag man achter het loket*, 1965,
uit: *U wordt zo gemolken, Conférences*, verzameld
door Kick van der Veer, Nijgh & van Ditmar
1994, Amsterdam: 67
Staatskrant 6, 29/6/'90: 101
Stivons Stukken, nummer 15, 1990: 88, 91
De Toonzetter: 124
De Volkskrant, Amsterdam: 7, 47, 73, 78, 93,
122, 135, 154
Joost van den Vondel, uit: *Volledige dichtwerken
en oorspronkelijk proza*, H.J.W. Becht, 1986,
Amsterdam: 122
Vrij Nederland, 17 september 1994,
Amsterdam: 167
VPRO-gids, week 17, 1995, Hilversum: 118

Vrouwen voor Vrede, naar: *Wie zei: 'Ik wist het
niet!'?*, Nijmegen: 178
Wegwijzer voor Leiden, 1994-1995: 102

De uitgever dankt alle rechthebbenden voor hun
toestemming tot publikatie van de in deze
uitgave opgenomen tekstfragmenten en
illustraties. Diegenen die wij onverhoopt niet
hebben kunnen bereiken, verzoeken wij
vriendelijk contact met ons op te nemen.